読んで学べる ADHDのペアレントトレーニング

Win the Whining War & Other Skirmishes

むずかしい子にやさしい子育て

シンシア・ウィッタム 著
Cynthia Whitham

上林靖子・中田洋二郎・藤井和子・井澗知美・北道子 訳

明石書店

WIN THE WHINING WAR & OTHER SKIRMISHES by Cynthia Whitham
Copyright © 1991 by Cynthia Whitham
Illustrations copyright © 1991 by Barry Wetmore
All Rights Reserved.

Japanese translation published by arrangement with Perspective Publishing, Inc
through The English Agency (Japan) Ltd.

日本語版へのまえがき

　私の『読んで学べるＡＤＨＤのペアレントトレーニング～むずかしい子にやさしい子育て』(Win the Whining War & Other Skirmishes) を日本の家族にご紹介できることを大変うれしく思います。私は，精神・神経センター精神保健研究所児童・思春期精神保健部長の上林靖子先生から，日本語版を出版したいという申し出で受けたときに，とても誇りに感じました。それに加え，彼女からの招待を受け，1999年5月に日本を訪れることができたいへん満足のいく経験をしました。日本には一カ月滞在し，親の集まりや学校，保育園，病院や家族を訪問しました。そのうえ，東京，奈良，京都に旅をし，学校の行き帰りの子ども達，制服姿の遠足の子ども達，家族と一緒に公園にいる子ども達を目にしました。日本とアメリカ合衆国の子どもにはかなり違いがあります。私の経験したかぎりでは，日本の子どもは，仲がよく，親切で，お行儀がよさそうでした。しかし，どの国でも，手に負えない難しいことがおきると，親や先生や，そのほか子どもの世話をする人々，そして精神保健の臨床家は，何か役立つ方法や誰かの助けが必要となります。

　この本は，米国で1991年の初版以来，実に6版を重ねています。私はそのことを誇りに思っています。なぜそんなに読み続けられているのでしょうか。それはつぎの理由からです。
　－使いやすい。親が1章を読むのに数分しかかからず，すぐに自分の子どもにその技法を試してみることができます。
　－臨床的に検証され，子どもの行動に対応する効果的な技法を盛り込んでいます。親がこの本から得た手法を用いると，子ども達の行動がたちまち，改善することに気がつきます。

－簡潔で，明快で，やさしい言葉で，書かれています。だから，ひどく疲れている親が，寝る前にでもどうにかして1章をよみ，翌朝使える何かを学ぶことができるようにできています。

－ステップを1つ1つ進めるやりかたで，子どもの扱いにくい行動を効果的に減らすために何をしたらいいかを具体的に教え，これらの手法を実際に用いる自信を与えています。

　この本は，とくにADHDの子どもをもつ親のために書かれたわけではありませんが，この本のすべての技法は，UCLAの精神神経医学研究所のペアレントトレーニング（親訓練）プログラムの研究と臨床実践から直接に生み出されたものです。この研究と実践は年間何百という子どもを対象に現在もすすめられていますが，その大部分の子どもは，ADHDの診断を受けています。もしあなたの子どもが，たまたまこの障害を持っているとしたら，この本のページのなかに，きっと役立つことを見つけるはずです。

　私は日本を訪れたときに，日本の子どもは他の国の子どもと同じように，お菓子をねだったり，コンピューターゲーム，またはテレビゲームをやめるのを拒んだり，朝ぐずぐずしていたり，家のお手伝いをするのに抵抗したり，親のベットで眠りたがったりすることがあるということを知りました。

　すでに，国立精神保健研究所の相談室やそこから巣立った専門家たちが，この行動変容の技法を親と一緒に上手く使っています。私は，この本の日本語版の出版によって，すべての親ごさんがこの簡単で効果的な技法を手に入れることを願っています。

みなさんの子育てが，楽しいものになることを祈って。

シンシア・ウィッタム

謝　辞

　私のこの本は，UCLA神経精神医学研究所（NPI）のペアレントトレーニング・プログラムから生まれました。このプログラムは毎年数百の家族を援助しています。それは1974年にハンス・ミラー博士によって開始され，1983年からはフレッド・フランケル博士の指導のもとで行われています。そのプログラムの理論と技法はジェラルド・パターソン，レックス・フォーハンズ，K．ダニエル・オ・レアリー，フレッド・フランケルらの研究をもとにしています。私は特にフレッド・フランケル博士の長い間の指導と洞察に，謝意を表したいと思います。

　私が，このプログラムの技法に初めて触れたのは，ソーシャルワークの訓練生のときでした。訓練生を終え，10代の母親のケースワークや個人で始めた臨床活動にこのプログラムがとても役に立つことを知りました。私は，1986年にペアレントトレーニング・プログラムに治療スタッフとして戻り，親のカウンセリングや児童精神医学やソーシャルワークのインターンのスーパーバイザーを務めています。わたしはこれらの技法が，深刻な問題を抱えている家族の葛藤とストレスを軽減するのに，大変よく役立つことを経験してきました。だから，どの家族にもこれらの技法に触れていただきたいのです。

　この本で，私はペアレントトレーニング・プログラムで用いられている臨床的に効果がある概念と方法を用いています。親として果たす役割を本を読んで学ぶのは，治療者と1対1で数週間かけて理解していくのとは同じでないことは確かです。しかしこの本に著されている考えがかつて私にとって役に立ったのと同じように，読者の皆様にも役立つことをぜひ知っていただきたいのです。

　切実な心配事を抱えて私とともにがんばってきた，たくさんのクライエントの家族の方々に感謝します。

　この企画を通じて，熱意を失わず，辛抱強く常に励ましていただいた出版社のリンダ・グッドマン・ピルスベリーさんに感謝しています。

　私は夫，ジェアリー・マックリュードの愛と支えに感謝しています。

　私はいつも子どもたち，ミランダ，カイルにも励まされてきました。

　ありがとう。

シンシア・ウィッタム

はじめに

　ぐずる，かんしゃく，くちごたえする，汚いことば，すねる，そんな子どもの姿に，あなたは気が変になってしまいませんか？　しかし，それはあなただけではありません。

　私たちの子どもは，電話中にじゃまをし，お店ではくだらないおもちゃをほしがり，なかなか着替えをせず，「なんで僕がやらなきゃならないの？」「だれがそう言ったの？」と子どもっぽく口答えします。子どもたちは，ぜったいチーズバーガーが欲しいと言い張るかと思うと，いざ注文すると，アブラっこい，薄ぺらだ，なんかみずっぽい，焦げてると言って食べません。妹を泣き出すまでからかい，パジャマを脱ぎっぱなしにして片づけようとしません。

　あなたは親になることを自分で選んだかもしれません。しかし，親であることで自分の精神健康が犠牲になるのを選んだわけではないでしょう。どなりちらさないですむ朝，涙ぐまない眠り，いらだたず焦らないで家事がやれること，あるいは自分自身の時間，これらはみな親の権利だと私は信じています。この本『読んで学べるＡＤＨＤのペアレントトレーニング～むずかしい子にやさしい子育て』(Win the Whining War & Other Skirmishes)は，もうちょっと穏やかな生活を与え，子どもからより多くの協力を引き出す道具をあなたにプレゼントします。これらの道具は，私が治療スタッフを勤めているＵＣＬＡの神経精神医学研究所（NIH）のペアレントトレーニング・プログラムで，何千という家族に利用され，効果をあげてきました。

　これらの道具は，あなたがしてほしい行動を増やし，してほしくない行動を減らし，許し難い行動をなくすための助けとなるでしょう。どんなにむずかしい状況にもこれらの道具のどれかが役立ちます。「どうしよう。

自分の手にはおえない」という心配はもういりません。

　この本はあなたの子どもにも助けになります。どの子も悪ガキであったり，ぐずったり，お行儀を悪くしたり，嫌われる行動をしたいとは思っていません。それどころか手に負えないわるいことをしたとき，ぐずったとき，お行儀が悪いとき，嫌われる行動をしたときには，ぞっとするほどいやな思いをしているのです。あなたが首尾一貫してしっかりと公正な制限を設けていると，あなたの子どもは，実際に，ずっといい気分でいます。

　あなたは，あなたの子どもを変えるための鍵です。あなたは子どもにとって大変大事な人です。そして，子どもの行動を形成するうえで途方もない大きな力を持っているのです。あなたの注目，それは子どもに対するあなたの反応の仕方のひとつですが，それは好ましい行動も好ましくない行動のどちらもつなぎ止め続けさせる力になっているのです。

　この本は，子どもへの応じ方を変え，あなたの子どもの良くない習慣を減らす道具を与えます。あなたがその道具の使い方を知り，毎日それを使っていくことで，あなたの子どもの行動は変化するでしょう。子どもたちはいっそう協力的になるでしょう。あなたの朝と眠りはずっとゆったりとした時間になるでしょう。もめ事は少なくなるでしょう。家族全体が，ずっと気持ちよく感じるでしょう*。

あなたが子どもの行動を変える鍵です。
あなたは家庭を上手に切り盛りできます。
あなたはぐずりとの戦いにもほかの小さなもめ事にも勝利することができるでしょう。

＊もしあなたの子どもが，離婚・死別，転居など家族の大きな変化に由来するストレスにみまわれているとか，この本のテクニックを使ってみても問題行動が減らないようならば，あなたの家族を援助するためのカウンセリングを受けることも考慮してください。

目　次

読んで学べる
ＡＤＨＤのペアレントトレーニング
― むずかしい子にやさしい子育て ―

日本語版へのまえがき　003
謝　辞　　　　　　　005
はじめに　　　　　　007

ステップ I ── 013　はじめましょう

1　この本の使い方……………………………………015
2　行動を変えよう ─ 注目こそ力である……………021
3　行動を分類しよう ─ 変化への第１ステップ……027

ステップ II ── 035　あなたがしてほしい行動をふやしましょう

4　どのようにほめるか ─ 基本をつかむ……………037
5　いつほめるか………………………………………049
6　ほめることを習慣にする…………………………055
7　大変な仕事をやりやすくする……………………061
8　さらにほめることをみつける……………………069

ステップ III ── 073　あなたがしてほしくない行動を減らしましょう

9　無視のしかた ─ 大切なポイントをおさえよう……075
10　いつ無視するか……………………………………085
11　無視することがむずかしく思えるとき…………091
12　無視を習慣として身につけるには………………103
13　子ども同士の力を利用して
　　協力をうながそう………………………………109

ステップⅣ　協力をひきだしましょう　——117

- 14　選択させること……………………………119
- 15　予　告……………………………………125
- 16　したら／してよいという取り引き…………131
- 17　よりよい行動のためのチャート（BBC）………137

ステップⅤ　制限を設けるには　——153

- 18　知っている道具を使うこと…………………155
- 19　指　示……………………………………165
- 20　ブロークンレコード・テクニック……………173
- 21　警告と結果としての罰………………………179
- 22　タイムアウト………………………………187
- 23　家族会議で問題を解決する…………………195
- 24　公共の場で制限を設けること………………201

211 これまでのまとめ

トラブルシューティングガイド　212
バトルプラン　214
　へりくつを並べること／215
　悪いことばをつかうこと／217
　かみつくこと／220
　車の中でのトラブル／222
　不　満／224
　ぐずぐずしていること／226
　けんか／228
　電話や会話のじゃまをすること／231
　うそをつくこと／233
　爪かみ／236
　悪口・からかい／238
　行儀の悪さ／241
　だらしないこと／243
　つばはき／245
　すねること／247
　口答え／249
　かんしゃく／252
　公共の場でのかんしゃく／254
　告げ口／257
　泣き声で訴えること／259

訳者あとがき　　　261
索　引　　　267

ステップ
I

はじめましょう

このステップでは
この本
『読んで学べるADHDのペアレントトレーニング』
の使い方を学びます。
はじめの3つの章は
主な概念と簡単な枠組みを紹介しています。
その概念や枠組みは
あなたの家庭で子どもたちが
いっそう協力的になり
もめ事を少なくするために
あなたが利用できる
いわば道具といえるものです。

1　この本の使い方

　この本には，2－12歳の子どもがおとなに協力的になり，もめごとを減らすためのプランが，ステップ・バイ・ステップで書かれています。それぞれのステップは次の段階の基礎となっています。

　ステップ1では，たいていの問題場面で用いることができる枠組みを学習します。あなたは子どもの行動を3つのカテゴリーに分類します。つまり，**してほしい行動**，**してほしくない行動**，**許し難い行動**です。それぞれのタイプの行動には，それぞれに異なるテクニックが用いられます。
　ステップ2では，あなたがしてほしい行動をふやすために，よい注目（**肯定的な注目**）の与え方を学習します。
　ステップ3では，あなたがしてほしくない行動を減らすために，注目しない（**注目を取り去る**）方法を学習します。
　ステップ4では，協力を促す方法と，子どもにあなたの望むことをはじめてもらうための簡単な方法を学習します。
　ステップ5では，人を傷つける行動，あるいは放っておけなくなる行動に対しての方法，ただし体罰ではなくしっかりとした**制限の設け方**を学びます。
　本書の最後の部分は，**バトルプラン**，すなわち子どもの行動を変える実

戦計画です。つまり，もっともよくみられる迷惑な行動——ぐずる，かんしゃくをおこす，口答えをする，じゃまする，だらしない，汚いことばを使う，けんかをする——などに対する簡単で明瞭な行動計画が書かれています。

　一度にひとつのステップを読みましょう。そこに書かれたテクニックを理解し，実際に練習し，子どもにそのテクニックを試してみましょう。そのテクニックが自分自身の道具となったら，次のステップに進みましょう。

　あなたは，はじめの部分をとばして制限を設けることやバトルプランを早く学びたいと思うかもしれません。しかしそれはあまりおすすめできません。この本で紹介する技法は，それぞれ前のステップで学んだ技法を知っておくことが必要だからです。たとえば，**無視**するためには，ほめることができなければなりません。効果のある**制限を設ける**ためには，上手に無視することができなければなりません。そしてあなたがもっとも手をやいている行動に対処するには，その前にすべてのやり方を学ぶことが必要です。

　相談にきた人々とともにやってきた私の経験では，ひとつひとつのやり方を練習して，習慣的に使えるようになると，子どもの行動に変化が見られます。実践的練習をしていけば，あなたも同じようにできるようになるはずです。あなたがたの中には，読むだけでこのやり方を概念として明確に理解できる方もいれば，練習問題を書き出すだけのエネルギーや時間がない方もいるかもしれません。一日の終わりに夫や妻とその日の子どもの行動について話し合うときに，練習問題は単にそのガイドラインとして参考にすればよいと思われる方もおられるでしょう。道具は使い続けることに意味があるのです。そのことを忘れないでください。もし変化が見られない場合には，元に戻ってそれぞれの練習をしてください。

ステップⅠ　はじめましょう

リングノートかあるいはルーズリーフと，使いやすい鉛筆を手元にいつも用意しておいてください。母親の多くはノートをとることが役立つと言います。練習問題には，子どもの行動の記録をつけることも含まれています。

　やり方そのものは簡単です。しかしある程度の努力と時間が必要です。あるテクニックを使いはじめるときには，あなた自身がとくに時間的なゆとりをもつことが必要となることがあります。朝の時間がスムーズになるようなテクニックを用いようとするときには，やることをいつもより15分早くすませ寝床につき，朝は20分早く起きましょう。登校の待ち合わせ場所で大騒ぎすることを減らすために，この本で学ぶ道具を用いるならば，10分早く家を出ましょう。いったん行動が改善したら，よく考えて以前の日程に戻してもよいでしょう。

　家庭の中のおとなみんなが，この本を読んで練習することをおすすめします。いっしょに子どもの養育にあたっているおじいちゃん・おばあちゃん，おじさん・おばさんそのほかのおとなの方がいるのでしたら，みんなでチームを組んでやったほうが効果的でしょう。
　子どもの性別についてはやり方に違いはありません。ぐずぐず言う，汚いことばを使う，たたく，不平を言う，のらりくらりするなど，ここに記されている例はたいてい，男の子にも女の子にも当てはまります。性別にかかわりなくどの子も含まれていると思ってください。

　手頃な発達に関する本を手元にもっていましょう。定評のある著者として，アーノルド・ゲゼル，フランシス・イルク，ベリー・ブラゼルトンとバートン・L・ホワイトなどがあります。まずあなたの子どもの年齢のところを読みましょう。それからその前の年齢，そのあとの年齢へと読んでみましょう。情緒，社会性，知能，身体において，「標準とはなにか」

ということを大まかに理解しておきましょう。それぞれの段階で，（それらは発達としては喜ばしい行動なのですが）それぞれにむずかしい行動があります。自分だけだと思わなくてもいいのです。たいていの親が，同じ問題で苦闘しているのですから。

　　この本を読みましょう。
　　道具を使ってみましょう。
　　してほしい行動をふやしましょう。
　　してほしくない行動を減らしましょう。
　　許し難い行動にはしっかりとした公正な制限を設けましょう。
　　子どもの協力を促しましょう。
　　子どもの変化を楽しみにしましょう。
　　子育て戦争に勝利しましょう。

※この本のなかで訳注にあたる箇所は，一部〈　〉で示しています。

2 行動を変えよう
…注目こそ力である

　わたしたちはみんな**注目**を必要とし，それを求めています。

　家族の食事を作ることを想像してみましょう。食卓には沈黙がただよっています。「お疲れさま」も「うーん。おいしそうな匂いがする」ということばもありません。あるいは，勤務時間外に仕事をしたのに，上司から感謝のことばがないときのことを考えてごらんなさい。近所の人を助けてあげたのに，お礼のことばもないことを思い描いてごらんなさい。自分の努力あるいは自分自身が，夫や妻，子どもたち，友人，近所の人，同僚によって無視された日はなんだか悲しい一日になりませんか。

　子どもたちも同じように注目を必要としているのです。そのうえ，まるで底に穴のあいたバケツのように，これくらいで満足という量の目安はありません。子どもは注目にただちに満足することもなく，もうそれ以上はいらないと思うこともありません。子どもたちの注目への欲求，なかでもおとなの注目を得ようとする欲求は，あなたがしてほしい行動をふやし，してほしくない行動を減らす鍵となります。

　子どもは，いいふるまいをすることで**肯定的な注目**を得るより，トラブ

ルを引き起こして**否定的な注目**を得ようとするときがあります。他にやり方を知らないように見えます。もしあなたの子どもが，協力的でなく，ふざけているように見えたら，それは，あなたがしてほしくないことをすることであなたの注目が得られるという，もっともてっとり早い方法を見つけたからでしょう。

　忙しい生活をおくっている私たちは，子どもが話したがっていることや，子どもが草の上に見つけた小さな虫や，あるいはくりかえしする悪ふざけに，ちゃんと目を向けてあげることを忘れたり，そういう時間を作れないこともあります。もし私たちの子どもが，やかましく言わないでもお手伝いをしたとか，つまらない口げんかをせずに遊んでいるとすると，その平穏が続いてくれることを願い，口出しせずに黙っています。子どもがひとりで本を読んだり遊んだりしているとき，それをほめることで中断させたくはないものです。しかし，子どもが，弟にいじわるをしたり，天井にボールをぶつけたり，汚いことばを使ったりしたときは，すぐさまとんできてお説教をしたり，罰を与えようとします。私たちは，つねに望ましい行動よりも望ましくない行動に注意を向け，子どもたちがほめられるよりも叱られることに向かうように訓練しているのです。

　私たちはこのバランスを変えることができます。してほしい行動に肯定的な注目を与えることで，あなたの子どもがそれらのよい行動をもっとするように励ますことができます。肯定的な注目を得られれば得られるほど，罰を受けるようなことに誘惑されることは少なくなり，そうする必要もなくなります。

　してほしい行動の例をひとつあげてみましょう。あなたの5歳の子どもが，友だちとうまく遊んでいるのを目にします。順番を守っているし，お

互いにフェアーで，勝っても負けても優しくてていねいで思いやりがあります。

　このよい行動をふやすために注目を用いることができます。あなたは次のように言うのがいいでしょう。

　「ふたりが遊んでる様子が聞こえてたわよ。ジョイ，マークに順番をゆずったのは，とてもよかったと思うわ。マーク，負けても悔しがらず堂々としてたわね。それって，むずかしいと思うわ。ほんとによくできたわね」

　マークとジョイをほめることで肯定的な注目を与え続けています。肯定的な注目を与えることによって，その行動を強めていきます。小さな金づちと短い釘で行動をつなぎ留める，そんな光景が心に浮かびます。あなたが行動をほめるたびに，その行動をよりしっかりとつなぎ留めているのです。あなたの子どもは肯定的な注目をあなたから得ようとして，その行動をもっともっとするようになるでしょう。

　肯定的な注目を向けることによって，してほしい行動の回数をふやすことができるのとまさに反対に，あなたは注目をしないことで，してほしくない行動の回数を減らすことができます。

　ある日あなたは，ジョイが次のように言ってマークをおどしているのを耳にします。「おまえなんかもう友だちじゃないぞ！」これまでだったら，あなたは何事が起きたかととんでいって，「ジョイ，そんなことをマークに言っちゃだめよ」と言っていたでしょう（マークは本当は彼の一番の親友なのです）。親友とはなにかを言い聞かせたいところでした。実際，ジョイがあなたの非難の目つきを予期して，視線をあなたに向けるのを感じるでしょう。しかし，今回はあなたはそうしたい気持ちを抑え，子どもたちにまかせておきます。すぐにふたりはまたなかよく遊びはじめます。あなたの助けがなくてもできたのです。さあここで，ふたりが意見の違いを克

服したのをほめるときなのです。

　注目を向けないことが，その行動が続く力を弱めているのです。そして注目を向けないようにすることで，あなたの子どもはその行動をくりかえさなくなってくるでしょう。

> 🐱 やってみましょう 🐱
> **小さな注目を与えましょう**

◎実際にやってみましょう◎

あなたの子どもはなにをしていますか？
あなたがしてほしい行動ですか？
（あなたがこの本を読んでいられるということは，あなたの子どもが眠っているかもしれませんね…）
もしあなたの子どもがしてほしくない行動をしているとしたら，しばらく待ちなさい。
してほしい行動を子どもがはじめたら，すぐに本を置き，ほんの少しでいいから注目を与えましょう。にこっとほほえんで，子どもの頭か肩に手をおいて，ゲーム，ＴＶショー，本など，子どもが夢中になっているものに関心を向けましょう。

なにがおこりましたか？
お子さんはどう反応しましたか？

お子さんはそれが嬉しそうですか？
お子さんはびっくりしましたか？
それはあなたにとっていい気分でしたか？
それは少し奇妙で，なじまないように感じましたか？

そんなにやりにくいことではないでしょう？
あなたが肯定的な注目をすればするほど，状況がよくなります。

●ここで学んだこと●

☆ 子どもは親からの**注目**を必要としています。
☆ 親は子どもの行動を変えるために、注目の力を用いることができます。
☆ **肯定的な注目を与える**（ほめる）ことは、あなたがしてほしい、あるいはもっとやらせたい行動をふやします。
☆ **注目をとり除くこと**（無視）は、あなたがしてほしくない、あるいは少なくなるとよいと思う行動を減らします。

3 行動を分類しよう
…変化への第1ステップ

　この本によって，ほとんどすべての問題や状況への枠組みを提供できます。まず，あなたの子どもの行動を3つのカテゴリーにわけましょう。

1．あなたが**してほしい行動**，もっと目にしたいと思う行動。
2．あなたが**してほしくない行動**，目にするのがもっと少ないほうがよい行動。
3．**許し難い**と思う，やめさせたい行動。

　このように分類するのは，問題と向かい合う第一歩として自分自身に問いかけることが必要だからです。これは自分がしてほしい行動だろうか？（この行動にはしてほしいと思えるところがあるだろうか？）これはしてほしくない行動だろうか？　これは私が放っておけない許し難いと思う行動だろうか？　それぞれの行動のタイプに応じて，それぞれ異なる対処方法をこれから学んでいきます。
　行動を分類することで，あなたは落ち着いて子どもをより肯定的に見ることができます。また，あたりまえとみなされている親としての小さな努力や成功にあらためて気づくことができます。
　行動を分類することによって，してほしくない行動と許し難いと思う行

動の違いについて考えることになります。その違いは小さなことのように思えるかもしれませんが，使う手段には大きな違いがあります。

してほしい行動に対しては，あなたは肯定的に注目する，つまり"ほめること"を学ぶことになります。あなたがしてほしくない行動については，あなたは注目を取り去り，他の注意を向けること，つまり"無視すること"を学ぶことになります。許し難い行動に対しては，"断固たる制限を設ける"ことを学びます。

あなたがしてほしい，もっとあるとよいと思う行動は，成績表がすべて最高点だとか，頼まないのに食器を洗ってくれるとか，このような天と地が逆さまになるような出来事でなくてもいいのです。その行動はほんのささいなことでいいのです。

　4歳児なら，歯をみがくときじっとしていてくれる
　12歳児なら，文句を言わずにごみを捨ててくれる
　8歳児なら，なんども言わなくても宿題をはじめる（完全にやってしまうのではありません）

または
　　なにかをもらったとき「ありがとう」を言う
　　通りをわたる前に両側を見る
　　洋服を着替えはじめる（パジャマをぬぐ）
　　学校の勉強のことを話す
　　なにか言いつけられたことができる
　　言いつけられたことをしようとする
　　お店でお菓子を買ってとねだらない

読書をする
５分間，きょうだいと静かに遊ぶ
自分からＴＶを消す
あなたにテントウムシを見せる
あなたが電話をかけている間，じゃまをしない
友だちとおもちゃをいっしょに使う
「ごめんなさい」と言える
嘘をつかず正直に言える
食卓の準備やかたづけをする
自分で靴を履く
元気よく目をさます
家の中で大声をあげて話さない（ほどよい静かな声）
歯をきれいにしてあげる間，おとなしくしている
髪をすいている間，おとなしくしている
家または庭で，あなたの手伝いをする
ひとりで遊ぶ
宿題の一部でも，きれいに正しくする
赤ちゃんを優しくさわれる
ＴＶを見る代わりに積木で遊ぶ
怒っているときに，たたかないでことばで言う
呼ばれたらすぐに来る
上着と鞄を掛ける
あなたに頬をよせたり，キスをして親愛の情をあらわす

　してほしくない，少なくなってほしい行動は，わずらわしく，あなたをいらいらさせ，長い間悩ませている行動です。けっして危険なことや非行や重い罰を受けるような行為ではありません。あなたがそれを許し難い行

為だと感じるのは，それがしつこくて激しいので，あなた自身が嫌気がさして疲れ果てているからです。しかし他の人を傷つけることはないので，してほしくない行動に含めます。この行動のカテゴリーには次のようなものが含まれます。

> やるべきことをなかなかやろうとしない
> きょうだいと口げんかする
> ぐずる
> 不平を言う
> 口答えをする
> 悪いことばを使う
> 言い争う
> 手伝いをするように言われても無視する
> 宿題をしていない
> 車の中でうるさい
> 悪口を言う
> 「おまえなんか大嫌い」と言う
> からかう
> じゃまをする
> すねる
> かんしゃくをおこす
> 告げ口をする
> 着替えをいやがる
> つついたり，押したりする
> 洋服をぬぎっぱなしにする

　許し難い行動には，ひと，ペット，または他のひとの持ち物を傷つける

かあるいはその可能性がある行動が入ります。そんなにたくさんはありません。許し難い行動には次のものが含まれます。

　　車道に飛び出す
　　ほかの子にけがをさせる
　　つばをはく（傷つけることはありませんが，とにかく許し難い！）
　　友だちまたはきょうだいにかみつく
　　危険なことをしないという家族のきまりを破る
　　乱暴または卑劣な行動

🐱 やってみましょう 🐱
行動をわけましょう

　ノートをとりだして，3つの欄をつくってください。
● 　最初の行に次のように書きましょう。
　　　してほしい，もっとふやしたい行動
　　　してほしくない，減らしたい行動
　　　許し難い，やめさせたい行動

● 　これらのカテゴリーについてあなたの子どもの行動を思いつくままに4，5つ書いてみます。
　そのときに選ぶ行動にはひとつのルールがあります。**ここでの行動とは，あなたが見たり聞いたりできるものです。**子どもと話すときには，その行動が非常に具体的であることが必要

です。またこのルールに従えば，たくさんの練習を具体的にできます。

　たとえば，「もっと礼儀ただしく物事を頼める」でなく，「夕食のときに，『それを（おしょうゆやおかずなど）をとってちょうだい』『ありがとう』と言える」と書いたほうがいいでしょう。

● ノートの記入はこのようになるでしょう。

してほしい行動，ふやしたい行動	してほしくない行動，減らしたい行動	許し難い行動
洋服を着る	ぐずぐず言う	幼い弟をたたく
猫にえさをやる	爪をかむ	車道で自転車に乗る
ありがとうと言う	きょうだいと口げんかをする	だまって外出する
ともだちに番をゆずる	口答えをする	
食卓の準備を手伝う	私に悪口を言う	

● ノートをすぐに使えるようにしておきましょう。

　実際に記入しはじめてから1日2日ほどしたら，リストをしらべてみます。もし2－3の項目しか思い浮かばないようだったら，朝とか夕方とかの時間に子どもを観察して記録する行動をふやしましょう。どんなときでも行動が思い浮かんだら，それを該当する欄に書き入れます。

　もしあなたがリストを作る時間がないのならば，子どもの活動をじっと見ることからはじめましょう。どれに分類するか決めましょう。これはしてほしい行動でふやしたい行動でしょうか？　してほしくない行動で減らしたい行動でしょうか？　許し難い行動でしょうか？

● ここで学んだこと ●

☆ あなたは子どもの行動を見ることからはじめます。ここでの行動とはあなたが**見たり聞いたりできる活動**です。それを3つのカテゴリーにわけなさい。
　　あなたが**してほしい行動**か
　　あなたが**してほしくない行動**か
　　許し難いと思う行動か

☆ この分類の練習を3-4日続けたら，以下のやり方を学ぶ準備ができたことになります。
　　してほしい行動をふやす
　　してほしくない行動を減らす
　　許し難い行動をやめさせる

ステップ
II

あなたがしてほしい行動をふやしましょう

このステップでは，**肯定的な注目**
つまりほめることと励ますことの威力を用いて
子どもに**してほしい，もっとやってほしい行動**を
ふやすことを学びます。
あなたはどのようにして，いつほめるか
どうしたらほめることを日常の習慣にできるかを
学びます。
ほめるというのは単純なことのように思えますが
それを日常的に用いようとすると
それは必ずしもやさしいことではありません。
しかし，それがあなたの家族にもたらす利益は
その努力に十分に見合うものです。

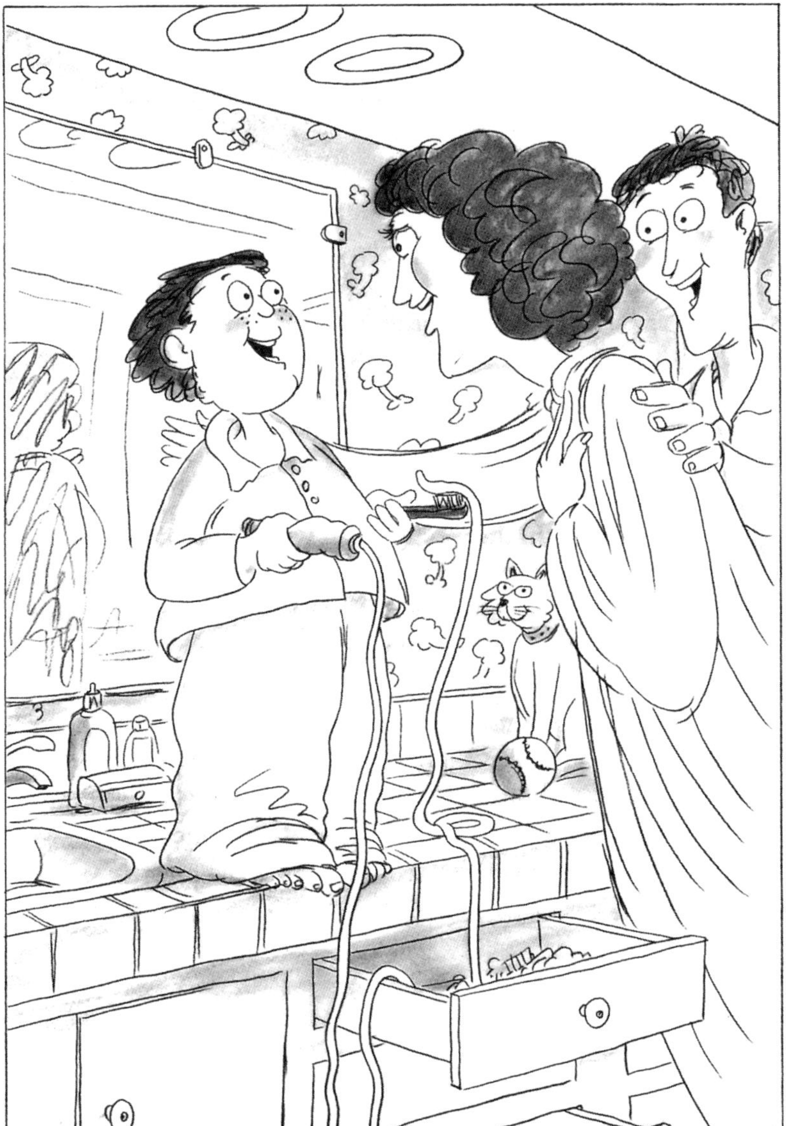

4　どのようにほめるか
…基本をつかむ

　2－3日，してほしい行動を見つけだすようにしてきましたので，あなたのしてほしい行動のリストは相当長くなっているでしょう。私がこれまでいっしょにやってきた多くの親と同じように，あなたはこれまでとは違った新しいやり方で子どもを見ているでしょう。子どもがやらなかったことではなく，むしろできたことに目を向けて，小さな成功や少しでも成功したことに気づいてほめているでしょう。

　してほしい行動を，もっと目にすることができるにはなにをしたらいいでしょうか？　子どもに**肯定的な注目**で応じなさい。そうすればもっと多くのすばらしい行動が返ってくるでしょう。肯定的な注目の与え方には，いくつかの方法があります。

　　ほめること
　　励ますこと
　　その行動に気づいていることを知らせること
　　感謝すること
　　興味や関心を示すこと

　便宜的に，私たちはこれらすべての肯定的な注目を，「ほめる」と呼ぶ

ことにしましょう。

　ここでひとつ注意しておかねばなりません。「やったわね，トイレでうんちができたわ」「わー！　あなたは左の靴をすごく早くはいたわね」あるいは「あなたが，大声でがなりたてないのが本当に好きだわ」などとことばにするのは，なにか恥かしく感じるでしょう。

　はじめのうちはわざとらしく感じるとしてもしかたがありません。それはあたりまえのことです。「ちがうでしょう」とか，「もう，だめねー」とか，「だからもっと早くやればいいのよ」と言うことにはなれています。実際にそう言うのはたやすいことです。ところが，家族で決めた手伝い，本人が当然やるべきこと，いずれにしてもしなければならないことに関して，励ましたり，やれるような気持ちにさせたり，応援することはいささか奇妙に思えるものです。

　私を信じてください。あなたが，してほしい行動をほめはじめると，あなたの子どもは，それらをいっそう頻繁にするようになります。子どもは，ほかの好ましい行動もやってみようとするようになるでしょう。なぜなら，行動の結果として得られる収穫（肯定的な注目）が，たいへん気持ちのいいものだからです。子どもから協力が得られることは，「歯をみがいてあげる間，協力してくれたのがよかったわ」とさも嬉しそうにべらべらしゃべるときのいっときの気まり悪さ，恥ずかしさに見合う十分な価値があるはずです。

基　本

　ほめるということには，ことばだけでなくいろいろな要素があります。もっとも効果的にほめるために次の基本を守りましょう。

行いをほめる：子どもをほめるのではありません。人としての子どもではなく，子どもの行動に反応しなければなりません。だからこう言いましょう。「おふとんの用意がよくできたね」です。「いい子ね」と言うのではありません。

タイミング：できるだけ早くほめる，行いの最中(さいちゅう)または直後に。

目：子どもと視線を合わせましょう。子どもがあなたの言っていることを聞いているか，それを確認する必要があります。子どもをあなたのそばに呼ぶか，子どものところに行きましょう。

からだ：子どもと同じ目の高さになりましょう。たとえおとなが嬉しそうにしていても，見下すように立たれると，子どもはいつも自信がなくなってしまうものです。幼い子どもにはしゃがみ込んで，安心させましょう。子どもに向かって姿勢を低くしましょう。子どもはあなたの支えと，熱い気持ちを感じとることでしょう。

表情：ほほえみたくなったら，そうしましょう。それはあなたのことばとおなじように伝わります。

声の調子：声の調子は，子どもがしたことで，あなたの気持ちがよいことを表していなければなりません。

ことば：メッセージは短く，明瞭で，肯定的でなければなりません。子どもがした行為をはっきりとことばにして，子どもの行為の中であなたがしてほしかった行動がなにであったかを理解させるようにしましょう。気持ちをこめて言いましょう。大げさにしゃべるのが好きでないなら，

そうしなくてもいいでしょう。しかし，してほしい行動を子どもがしていることを必ず知らせましょう。

効果的にほめる：肯定的な注目を受けるとき，あなたの子どもはどんなやり方が一番好きかを考えましょう。ことばでそれともことばではなくでしょうか？　静かに，それともにぎやかにでしょうか？　ほかの子のまえで，それとも耳もとでささやいてでしょうか？　子どもにとって効果的なほめかたをしましょう。

皮肉を避ける：ほめるときには，辛口のコメントはいっさい含んでいてはいけません。たとえば，「よくやれたね。でも，もっと早くやっていれば……」または，「ほら，できると言ったでしょう。私が言ったとおりだったでしょ？」これらはほめようとするあなたの努力を台無しにしてしまいます。

例

アン［言われなくても犬に餌をやっています。いつもはたいていがみがみ言われないとしないのです］
母親［娘がしているのを見ています］「アン，なにも言われないのに，スパイクに餌をやってるのね。責任感があるのね。」

母親は，いつもはアンにがみがみ言わなければならないのでイライラしてしまうのですが，このときはその感情をおさえて，ほめる準備をします。

母親がやることは：
1. 子どものところに行く時間をとります。

2. お母さんがしてほしい行動をことばにします。→言われないでも犬に餌をやること
3. なぜその行為が好きかを話します。→責任感の表れであることを言う。

　母親がほめることをしたので，これまでのように何度も言わなくてもアンは犬に餌をやるようになるでしょう。
　いつもほめたいと思うとは限らないでしょう。してほしい行動を長い間待たなければならないときには，とくにそうでしょう。しかし現実には，あなたが頭にきているときに，してほしい行動を子どもがすることがあるものです。そのときには，ただ，してほしい行動に気づいていることを伝えるだけでよいでしょう。先ほどの例ならば，母親は「ありがとう。スパイクに餌をやってくれて」と言うだけでいいのです。肯定的な注目を与えるには，いくつかの表し方があります：励ます，感謝する，子どもにほほえみかける，子どもがしているあなたがしてほしいことに興味を示す，その行動を知らせる。

　よいほめ方とよくないほめ方の例を実際にみてみましょう。

よいほめ方
　あの絵はすてきね。選んだ色がとてもすばらしいわ。

よくないほめ方
　あなたはクラスで一番絵が上手ね。ほかの誰よりも上手よ。

なぜでしょう…
　子どもがうまくやれたと感じるために，ほかの子どもを犠牲にしてはいけません。ほめられるためには，「一番」でなければならないと，子ども

に思わせたいのではないでしょう。子どもはいつも一番ではいられないから，自分が完ぺきではないと知ったら，ひどく失望します。

よいほめ方
　りっぱにやれたと思って，自信をもっていいのよ。

以下のように言うだけではよくありません
　あなたのおかげで私も鼻が高いわ。

なぜでしょう…
　子どもはあなたを喜ばせたいと思っていますが，自分ができたことを嬉しいと感じることのほうがいっそう大切です。子どもに伝えましょう。「ひとりで靴をはけたことを，本当にえらいことだと感じてもいいのだ」と。そして教えましょう。自分自身を好きになることはよいことだと。そうやって自信をつけていくことを理解させるのです。

よいほめ方
　トイレでちゃんとやれた，すごいね。

よくないほめ方
　なんていい子なんでしょう。

なぜでしょう…
　「いい子」という言い方は，ひと全体を評価する言い方です。「トイレを使ったのはいいことです」という言い方は，具体的な行動だけを言っています。子どもが，あることがうまくできたかできなかったかで，親の愛情を勝ち取ったり失ったりするのだと感じることを望んではいないはずです。

子どもが,「僕が妹をつついたから,トラブルになった」と感じることの
ほうが,「僕は悪い子だ」と感じるよりもいいでしょう。このように区別
することは,子どもが自信をもつためにも重要なことです。「悪い子ね」
と言われたときに,子どもは親の愛情を失ったと考えているかもしれない
のです。

よいほめ方
　サラー,なんてすばらしい成績表でしょう。

よくないほめ方
　サラー,すばらしい成績表ね。あなたのお姉さんと同じだわ。

なぜでしょう…
　きょうだいを比較することは,競争を強い,敵意を抱かせます。子ども
ひとりひとりが自分のよいことをほめられたと感じることが大切です。

心をこめてほめましょう
　本心からほめられれば,ほとんどの子どもはほめかたがどんなかたちで
あっても,ほめられたことに反応します。さらに,あなたがその気持ちを
子どもに通じるように工夫するときには,ほめることはもっとも効果を発
揮します。

　いろいろなほめかたがあります。あなたの子どもにはどんなほめかたが
効果的でしょうか？

ほめることは,
　　ことばで表す…かんたんに数語でほめる

4　どのようにほめるか

ことばではなく…たとえば親指を上に向けるサイン
大声で…感情を大げさに表す
静かに…耳元にささやく
単に気づいていることを知らせる…「あなたは宿題をはじめたわね」
情熱的に元気づける…「部屋をかたづけたの，すばらしいできよ」
子どもの気持ちを反映させて言う…「あなたはそのことをすごいと感じ
　ていいわよ」
夫（妻）に話す…「サムは，今日はすごくいいお手伝いをしたわ」

やってみましょう

ほめることの基本をつかみましょう

● あなたがしてほしい，ふやしたい行動のリストを用いてはじめましょう。
　あなたの子どもがこれらのひとつあるいはその他の行動をするのを見たら，ほめましょう。

● 自分でチェックしましょう。
あなたはこれらの基本を用いましたか？　基本を用いることが習慣になるまで，次のチェックリストと照らし合わせましょう。

　私は，子どもではなく，行動をほめただろうか？
　視線を合わせていただろうか？

からだを使ってなにを表現しただろうか？
　顔の表情はどうだっただろうか──喜んでいただろうか？
　私の声の調子はどうだったっだろうか──暖かみがあっただろうか？
　その行動がなにかをはっきりとことばにし，私のメッセージを簡潔に伝えただろうか？
　私は行動を見てすぐにほめただろうか？
　子どもが好きなやり方でほめただろうか？

4　どのようにほめるか

●ここで学んだこと●

あなたがしてほしい，そしてもっと多くなってほしいと思う行動をふやすうえで，ほめることを効果的にするために，ほめることの基本を確実に用いましょう。

☆子どもではなく，行動をほめましょう。
☆視線をあわせましょう。
☆からだを子どもの高さに合わせるか，軽く抱きかかえるか，手でなでたりしましょう。
☆ほほえんで，嬉しそうな顔を見せましょう。
☆暖かみのある声を使いましょう。
☆あなたがしてほしい行動をことばで表す短いメッセージを選びましょう。
☆あなたの子どもによく通じるほめ方をしましょう。すぐにほめましょう。
★もちろん，けっして皮肉をこめたほめ方や「私が言ったとおりでしょう」というようなことを言ってはいけません。

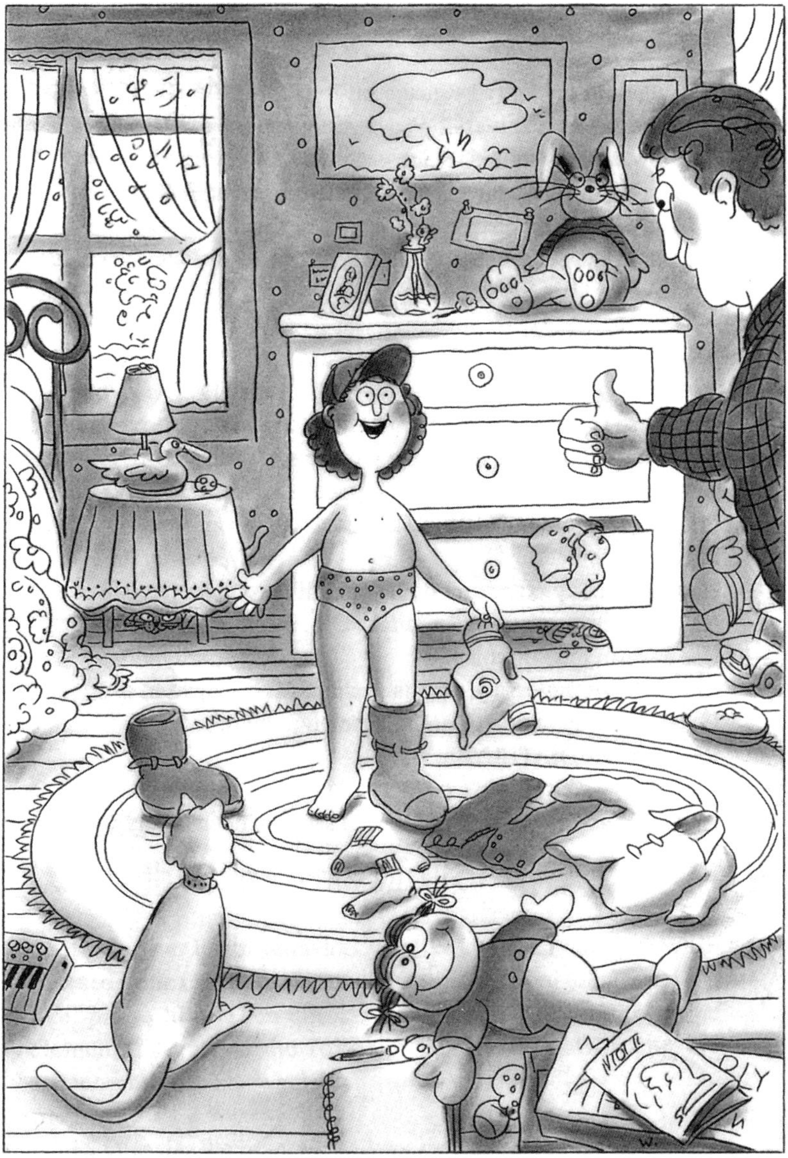

5　いつほめるか

　ほとんどの母親は，子どもが宿題などなにかをやり終えたときか，お手伝いを頼んですぐに言うことをきいたときにほめます。もしあなたも，すでにそうしているなら，それはすばらしいことです。しかしその段階で十分だとは思わないでください。多くの母親は，なにかの課題をやり終えたときにだけ，ほめる傾向があります。それは完ぺきを求めることと同じになります。完ぺきは子どもにとって現実とかけ離れた基準です（もちろんおとなにとってもです）。

　そのプロセスをほめる，つまり課題をやっている間，ずっと，子どもをほめるようにしましょう。子どもは今している努力を認められ，励まされると，自分が高く評価されていることを知り，ますます協力的になるものです。

プロセスをほめることによって，あなたは肯定的な光を当てて子どもを見はじめます。
　なぜなら，あなたは，小さな達成，正しいほうに向かう小さなステップを探し，見つけ，これまであたりまえのこととみなしていた行動に気づくからです。子どものほうは，認められている，もっと協力したいと強く感

じるようになるでしょう。もし子どもとの毎日の生活が，ひどくストレスフルな場合には，自分がこれまでよりずっと子どものことを好きになっていると，感じることができるようになります。

　子どもをほめる機会はたくさんあります。子どもが次のようなことをするときにほめましょう。
【状況1】あなたがしてほしい行動をはじめたとき
　　　　（朝，パジャマを脱ぎはじめる）
【状況2】多少まちがっていても，してほしい行動をしようとしているとき
　　　　（靴を反対の足にはこうとしている）
【状況3】してほしい行動をしているとき
　　　　（宿題に取り組んでいるとき）
【状況4】指示にすぐに従っているとき
　　　　（「もう寝る時間よ」と言われ，寝室へむかっているとき）
【状況5】自分からはじめているとき――自発的にするとき
　　　　（なにも言ったりしたりしていないのに，部屋をかたづけたり，ゲームをかたづける）
【状況6】ほかの子どもと上手に遊んだり，いっしょにゆずりあっているとき
　　　　（読む，書く，描く，ブロックでなにかをつくる）
【状況7】してほしくないと思うことと反対のことをしている
　　　　（叫ばないで，静かな声で言う）

　このようなの状況のときに，ほめましょう。そうすれば，あなたと子どものふたりの関わりが，らせん階段を登るときのように，よい方向に向かってぐんぐんと進んでいきます。

> 🍎 やってみましょう 🍎
> ## 子どもをほめる機会を見つけよう

　これまでに述べた7つの状況をひとつひとつのタイプとして，その欄をノートにつくります。各々のタイプごとに，あなたの子どもが日頃している行動の例を見つけ書き出します。これらのしてほしいと思う行動が起きたとき，子どもをほめましょう。

　もし，あなたが子どもの問題と困った行動におもに関心を向けていたとすると，ここで述べていることは，あなたが見過ごしていた協力に気づくよい機会になります。

　あなたがしてほしい行動のリストの中身は，変化し発展していきます。それぞれの発達段階には，それぞれに異なる努力と成果があります。3歳児ならば靴をはくこと，6歳児ならばくつひもをむすぶこと，12歳児ならば靴を脱ぎ捨てないことをはめます。このリストに新しい行動を加えるたびに，ほめることを忘れないようにしましょう。そうすれば，協力は確実に続き，ふえていくことでしょう。

　念のために言いますが，もしあなたが，このリストを座って書く時間がないとしたら，頭の中でこの練習をしてください。子どもの努力をたくさん頭に書きとめましょう。もちろん，そうしてほめましょう！

●ここで学んだこと●

☆課題が完全に終わったときだけほめるのではいけません。
次のようなときにほめましょう。

あなたがしてほしい行動をはじめたとき
してほしい行動をしようとしているとき
してほしい行動をしているとき
指示にすぐに従っているとき
自分からはじめているとき（自発的に）
ほかの子どもと上手に遊んでいるとき
してほしくないと思うことをしていないとき

☆あなたの子どもができている行動に気づき，それをちゃんと評価し，ほめましょう。

あなたはすばらしい子どもをもっているのです。

ステップⅡ　あなたがしてほしい行動をふやしましょう

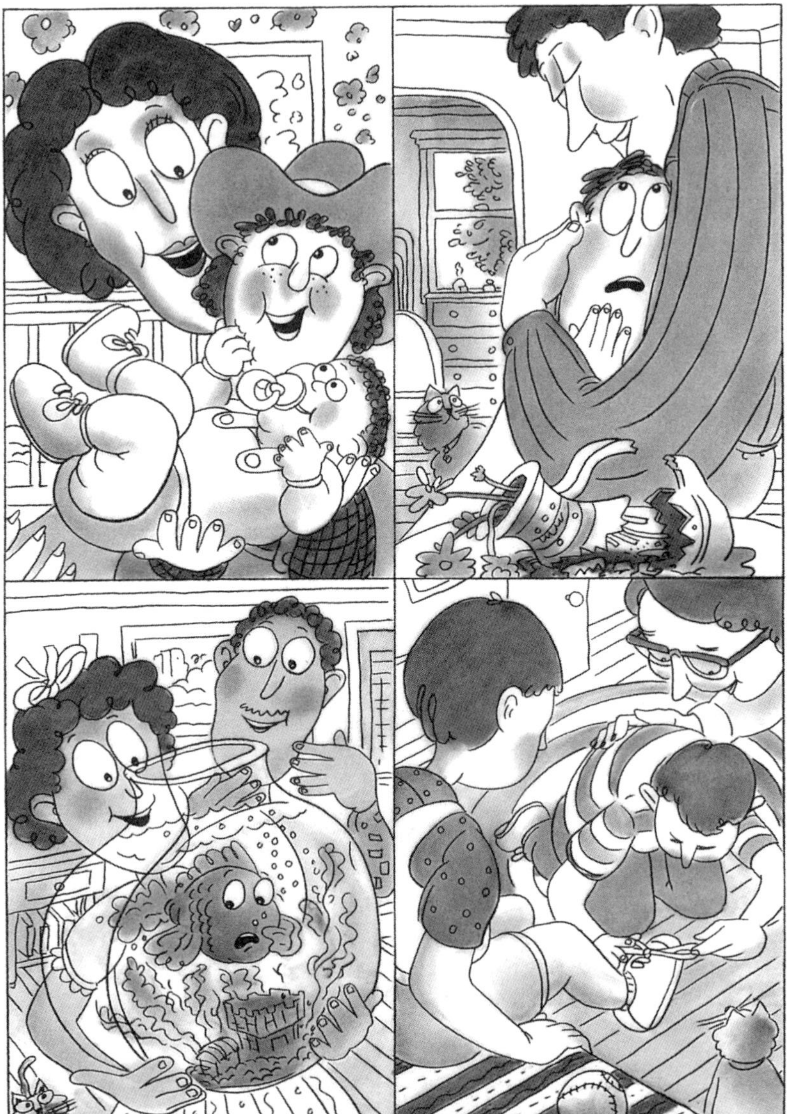

6 ほめることを習慣にする

　あなたはどのようにしてほめるか，いつほめるかを学びました。これからは，子どもがよい行動をしようとしているのを，探し，見つけだして，肯定的な注目で応えるのを，日頃の習慣にしなければなりません。

　素早くほめることが身につけば，つまり子どもの好ましい行動に無意識に反応することができるようになると，子どもの行動は肯定的な注目を求めてどんどん向上し，あなたはあのいやなガミガミ婆やスパルタ親父の役割から解放されるでしょう。ほめることで協力をふやすことができなかった親は，私の臨床経験ではひとりもいません。

　やってみましょう。
　あなたの子どもを1週間首尾一貫してほめましょう。
　そして，ほめ続けましょう。
　そうすれば次のような嬉しい結果が得られますよ。
　　　　ほめている行動はふえていきます。
　　　　子どもは気分がよくなり，認められているように感じます。
　　　　子どもは，他のことでも，協力しはじめるでしょう。
　　　　あなたも気分がよくなります。
　　　　家族のお互いの関係がよくなります。

すべてにおいて，ストレスが少なくなるでしょう。

忘れないでください。
ほめることが効果的であるためには，まずあなたがしてほしい行動を見つけたら必ずほめなければなりません。**ほめることを毎日の習慣にする**ために次の練習を実行しましょう。

😊 やってみましょう 😊
ほめることを習慣にしましょう

● ノートに3列の表を作ります。最初の行に次のように書き入れましょう。
時間
子どもの好ましい行動
どうほめたか

ノートをいつももち歩きましょう。ある一日を選び，子どもをほめるように努力し，それをできるだけ記録しましょう。

1ページの半分は埋めましょう。できるならもっと多く記録しましょう。この練習をしすぎるということはありません。

たとえば，9歳の子をもつ父親は次のように記入しています。

時間	子どもの好ましい行動	どうほめたか
am7:00	目ざましがなったとき起きた	「おはよう，アラン，よくはやくおきれたね」と言った
am7:30	なにも言われずに歯をみがいた	「アラン，ちゃんと歯みがきをやっているね」と言った
pm6:00	がみがみ言わないでも夕食後すぐに宿題をはじめた	背中に手をやって「宿題，はじめているね。ありがとう」と言った。

この例の親のほめたかに注意してください。
　行動をことばで表現している。
　ことばによる注目とことばによらない注目を用いている。
　子どもが勉強をはじめたところでほめている。
　自分がどんなに嬉しいかを息子に語っている。

　あなたの場合をふり返ってみましょう。
あなたはほめる基本〈→38–40ページ参照〉すべてを用いていますか？
あなたはやり終えたことだけでなく，プロセスをほめていますか？

　もし可能なら，家庭のおとなみんながこの練習をするのがいいでしょう。それぞれが独自に練習ノートをもって，一日の終わりにそれらを比較しましょう。お互いから学びましょう。あなたはどの行動を，見逃し，あるいはほめるべきだと考えていなかったかがわかります。どのほめ方がもっとも受け入れられ効果的であったかを話し合いましょう。もっともたくさん書き込まれているノートをもっているひとには，賞が与えられてもいいくらいです。当然ほめられるべきでしょう。

●ここで学んだこと●

☆子どもの協力がどんどんふえ向上するために，あなたはほめることを**習慣**にしなければなりません。あなたが**首尾一貫**してほめることではじめて変化が起きるのです。

☆練習が鍵です。ぎこちなく感じ，ばかげているように思えるかもしれません。確かに初めはぎこちなく感じるでしょうが，とにかくほめましょう。ほめる，ほめる，ほめる！　あなたが本気である限り，それをやりすぎるということはありません。

☆結果を楽しみましょう。自分におめでとうと言いましょう。

あなたはすばらしい子どもをもっているだけでなく，あなたもすばらしい親なのです！

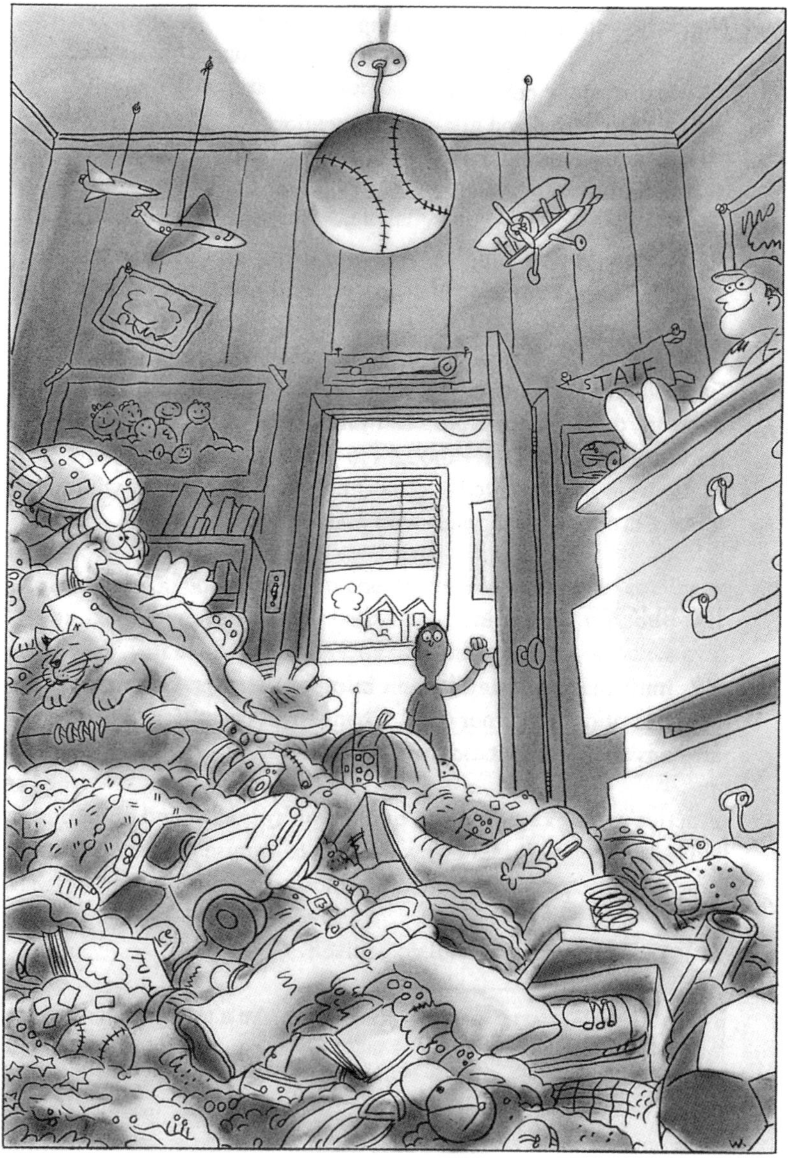
STATE

7 大変な仕事を
　　やりやすくする

　あなたが台所にはいると，皿が積み上げられていて，流し台には食べ残しがちらかっていて，猫がえさを欲しがってにゃーにゃー鳴いていて，床にはなにか赤い丸い固まりがへばりついていて，冷蔵庫には汚れた印刷物がとめてあって，窓辺にはしおれかけた鉢植えがあるのを目にします。あなたはそこから逃げだしたくなるでしょう。

　あなたの子どもも同じ気持ちなのです。あなたが，子どもに，自分の部屋をかたづけるように，洋服を着るように，テーブルの自分のところをきれいにふくようにと言うときには。あなたにはちょっとした仕事のように見えることが，あなたの子どもにはうんざりすることでありえるのです。彼らも逃げ出してしまいたいでしょう。しかし，彼らは一日中そのように要求されているのです。

　子どもがこのおお仕事をやりやすくするのに役立つ，2つの方法があります：
　1．おお仕事を小さな仕事に分割する。
　2．はじめたときだけでなく，努力し続けているときにもほめる。

親は，おお仕事を小さい仕事にわけるために，知恵を貸し，仕事を選んだり，その仕事をことばで表して助けます。子どもは頭で仕事の部分部分を思い浮かべることができ，全体としての仕事量に圧倒されなくなります。仕事の各段階が決まったら，子どもがそれぞれのステップをはじめたときと終えたときに，そのつど親はほめます。

それぞれのステップを決め，ずっとほめ続ける，これら全部をやるのは大変なことのように思えるかもしれません。最初はそうでしょう。しかし，あなたに対する見返りはとても大きなものです：あなたの子どもはその作業をうまくやり終えるために，必要としている励ましが得られるでしょう。

3歳児が部屋をかたづけるのを例にしてみましょう。それを小さな作業に分割してみましょう。

> 最初のおもちゃをとる──「積み木ひとつ」と言いましょう。
> その積み木をおもちゃ箱の中に入れる
> おもちゃの動物をみんな箱に入れる
> ほかのおもちゃをその箱に入れる
> 本を本棚にのせる
> 動物のぬいぐるみをベッドの上に置く
> 汚れた洋服を洗濯かごに入れる
> 紙切れをゴミ箱に入れる

大きな仕事を小さなわかりやすい作業に分解することで，「部屋をきれいにする」または「すべてのおもちゃをかたづける」という仕事が，ずっと手を着けやすいものに思えるでしょう。

子どもに自分で洋服を着させようと毎朝悪戦苦闘していませんか？　た

ぶん，あなたは，お願いよ，頼むからと懇願し，それから怒鳴り声をあげしまいには，あなたが仕事に行くのに間に合うように，腕ずくで子どもを洋服の中に押し込んでいることでしょう。小さな仕事をひとつひとつほめてみましょう。そうすれば，間もなく，子どもは機嫌よく服を自分で全部着れるようになり，あなたが子どもをかつぎ上げたりしないでもすむようになるでしょう。

　それらの小さな作業は次のようなものでしょう。

　　　　パジャマをぬぐ
　　　　パジャマを手提げかごに入れる
　　　　パンツをはく
　　　　Ｔシャツを着る
　　　　ズボンをはく
　　　　ひとつの靴下をはく
　　　　もう一方の靴下をはく
　　　　片方の靴をはく
　　　　もう一方の靴をはく
　　　　靴のひもを結ぶ

　ところで，ことがスムーズにいくまで，１週間か２週間，子どもを10分か15分早く起こした方がいい場合があります。朝の着替えもそのひとつです。前の晩に子どもに服を選ばせておきましょう。
　作業をことばで言い表し，部屋を出たり入ったりし，子どもが従うのを我慢強く待ち，それぞれのステップがうまくいくのをほめるのは大変な努力がいります。

しかしその見返りを考えてみてください。
　　やがて子どもは着替えをする。
　　泣いたり，がみがみ言ったりすることがなくなっている。
　　子どもは自分ができると感じる。
　　親も自分がやりとげられたと感じる。
　　次からは少ない努力でことが足りる。
　　やがて励ましのことばが少なくてもすむようになる。

頻繁にほめるとき，それは口うるさいコーチではなく応援団なのです。どちらが人をやる気にさせるでしょうか？

🍓 やってみましょう 🍓

ひとつの課題を部分ごとにほめましょう

● 子どもに自分でやらせるのに苦労している課題を選びましょう。

　12歳の子どもなら，作文，または自分でしらべたことを書かなければならない。
　5歳の子どもなら，お絵かきのあと，テーブルと床を汚れたままにしている。
　4歳の子どもなら，くずかごを空にする。
　9歳の子どもなら，洗濯物をたたんで，しまうのを手伝う。

10歳の子どもなら，自分のハムスターのかごをきれいにする。
　6歳の子どもなら，おばあちゃんにお礼のカードを書く。
　2歳の子どもなら，クレヨンをかたづけねばならない。

　あなたのノートに，または心の中で，その課題をできるだけ多くの小さな仕事にわけましょう。そのひとつひとつで，あなたは子どもをほめることができます。

　「宿題をはじめる時間ですよ。台所のテーブルで勉強しない？　そうしたら質問があるときに手伝ってあげるけど」というように，子どもに課題を思い出させ，しかも励ましながらはじめるのがいいでしょう。

　子どもが課題をはじめたらほめましょう。この例では，「早くはじめてくれて嬉しいわ。それ，かなり大変そうね」というように，気持ちの支えとなることばを言ってもよいでしょう。

　それぞれの小さな仕事に取りかかったとき，またはそれが終わったとき，子どもの努力についてコメントしましょう。

　批判にならないように注意します。批判ではやる気がすっかりなくなります。ぐにゃぐにゃの書き方を訂正する代わりに，そのページの数語ないし数行のきちんと書いたところを探します。そして「ここのところの書き方がいいわね。大きすぎないし，一行にちゃんと入っているわ。とても読みやすいわ」などと言いましょう。

ステップⅡ あなたがしてほしい行動をふやしましょう

　たとえば，夕食の準備でもしあなたが忙しいならば，子どもに，課題の一部分が終わったら，たとえば１列目の計算問題をやったら，あなたを呼ぶように伝えるのがいいでしょう。そんなふうにすれば，子どもがひとつひとつの小さな仕事をやり終える励みとなります。子どもは，「お父さん，あれが終わったよ。来て，答えをチェックしてよ」と言えるので，小さな課題をかたづけたいと思うでしょう。あなたは，鍋をもう一回かき混ぜて子どもの勉強をチェックしに行きましょう。子どもが早くやれたことをほめ，正しい答えに「よくできたね」と伝えます。まちがいは子どもに訂正させ，次の列をやるように促し，それができたら呼ぶように言い，また鶏肉の煮え具合をしらべに戻ります。

　子どもが課題を全部し終えたときには，もっとほめましょう。母親（逆の場合は父親）に話して，子どもをほめてもいいでしょう。小さな子どもは，「とてもよくお手伝いをする」とか「とても聞きわけがいい」と祖父や祖母に伝えられるととても喜びます。

　先ほどの例では，父親は次のように言うことができます。「ねー，今夜は算数を一生懸命やったね。」あなたも子どもも努力したことを気分よく感じるでしょう。

● ここで学んだこと ●

☆子どもにとって課題が手に負えないように感じるとき，その大きな仕事を小さく分割しましょう。

☆子どもがやっているとき，小さな課題を決めて，それぞれの仕事をはじめたときと終えたときに，ほめましょう。

泣いたりがみがみ言わなくても，やがて大きな課題が終わるでしょう。次のときには仕事はもっとやりやすくなっているでしょう。

あなたが，ここでほめることに費した時間は，子どもが協力すること，子どもとのよい関わりがふえるというかたちで報われるでしょう。もちろんずっと報われ続けます。

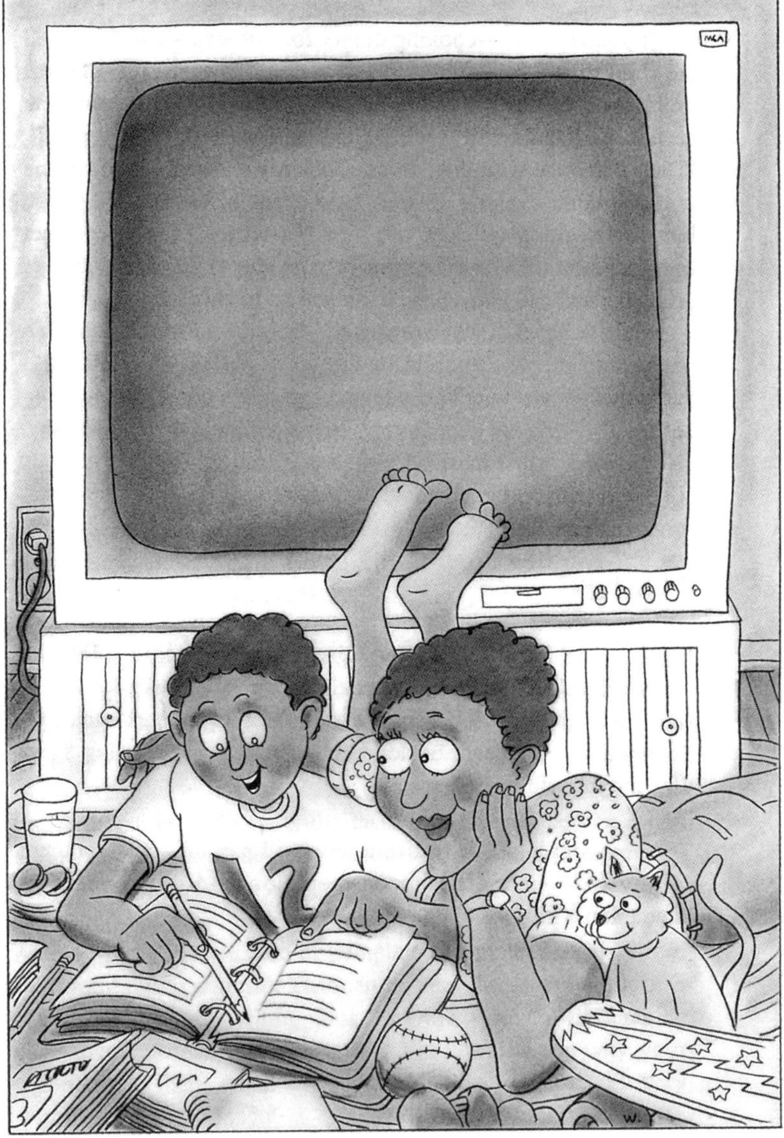

8 さらにほめることを
　みつける

　ここまでで，子どもが言いつけに従ったり，あなたがしてほしい行動を
やろうとした，やり終えたときにほめることが，どのような意味をもつか
がよくわかったと思います。ほめることがあなたの新たな性格となって，
あまり恥ずかしいと感じなくなるといいですね。あなたが子どもの好まし
い行動に気づき，そのことを子どもに伝えるにしたがって，あなたの子ど
もは認められているとより強く感じるでしょう。

　ここでは，**価値観や性格にかかわる行動**をほめることについて考えてほ
しいと思います。それは子どもが次のようなことをするときです。

　　あなたが好ましいと思う賢い選択をする
　　　　（外に遊びに行く前に，宿題をかたづける）
　　　　（ＴＶを見る代わりに，美術の課題をすることを選ぶ）

　　あなたが好ましいと思う価値のあることをする。
　　　　（きょうだいまたは友だちに思いやりをしめす）
　　　　（他の人の感情について考える）

問題行動が自制できる（怒ったときに，殴るのではなくことばで言う）

成熟した行動が現れる
　（本のレポートを提出間際ではなくはじめる）
　（いじめっ子のからかいを無視する）

誘惑に負けずに家族のルールに従う
　（黙って食べるのでなく，お菓子がほしいと言える）
　（友だちに誘われても，決められた地域外に自転車に乗っていかない）

好ましいと思う作業や遊びの中身がより向上している
　（お皿に油汚れを残さずに洗う）
　（いたずら書きがなくきれいな字で宿題をする）

　もし子どもがこのようなことのどれかをしていれば，子どものところに行きましょう。目を見て，子どもがそうすることを決めたことが，あなたはとても嬉しいと伝えましょう。子ども自身も，そうできたことでとても気分がいいにちがいありません。あなたも子どもがそう感じていることがとても嬉しく，誇りにさえ思えると伝えましょう。そうやってあなたは，子どもが将来もこうしたよい決定をくりかえすように，投資するのです。

　行動を具体的に言い，あなたが好きな特徴をことばで表し，あなたの子どもをほめましょう。たとえば，次のように
　　子ども：［おもちゃを修理するとき，接着剤を使う前に机の上に新聞紙を敷く］
　　親：「カーラ，机を汚さないように新聞を敷いたのね。ありがとう。あなたとても注意深いのね」

> やってみましょう
> ## さらにほめることをみつけるためには…

　さあ今日から，子どもが賢い選択をしているのを，また望ましい価値観をもちはじめているのを，あるいは誘惑に負けず家族の決まりを守るのを見つけましょう。この表面には現れにくい行動をほめ，それがふえていくのを見守りましょう。子どもの成長に気づいていることを伝え，子どもに感謝しましょう。

● ここで学んだこと ●

☆あなたがしてほしい行動をほめ，もっともっとほめたければ，次のようなことをほめることに含めます。

　　よく考えた行動をとっている
　　家族の決まりに従っている
　　立派な価値があることをしている
　　賢い選択をしている
　　問題行動の代わりに，あなたが好ましいと思う行動
　　　をしている

☆子どもは，ほかのよい行動とともにこれらのことを，さらに頻繁にするようにきっとなるでしょう。

ステップⅡ　あなたがしてほしい行動をふやしましょう

ステップ **III**

あなたがしてほしくない行動を減らしましょう

このステップでは
注目を取り去ること
すなわち**無視**することによって
あなたがしてほしくない，あるいは少なくしたい
と思う行動がどんなふうに減るかを学びます。
ほめることと同じように
無視の仕方は簡単に理解できます。
しかし，この方法を一貫して続けるのは
親にとってもっともむずかしいでしょう。
あなたはどのようにして無視するか，なにを無視
するか，無視とほめることをどう組み合わせるか
そして無視を容易にするには
どうしたらいいかについて学びます。
そして，あのいらいらさせられる行動がしだいに
減っていくのを注意深く見守ってください。

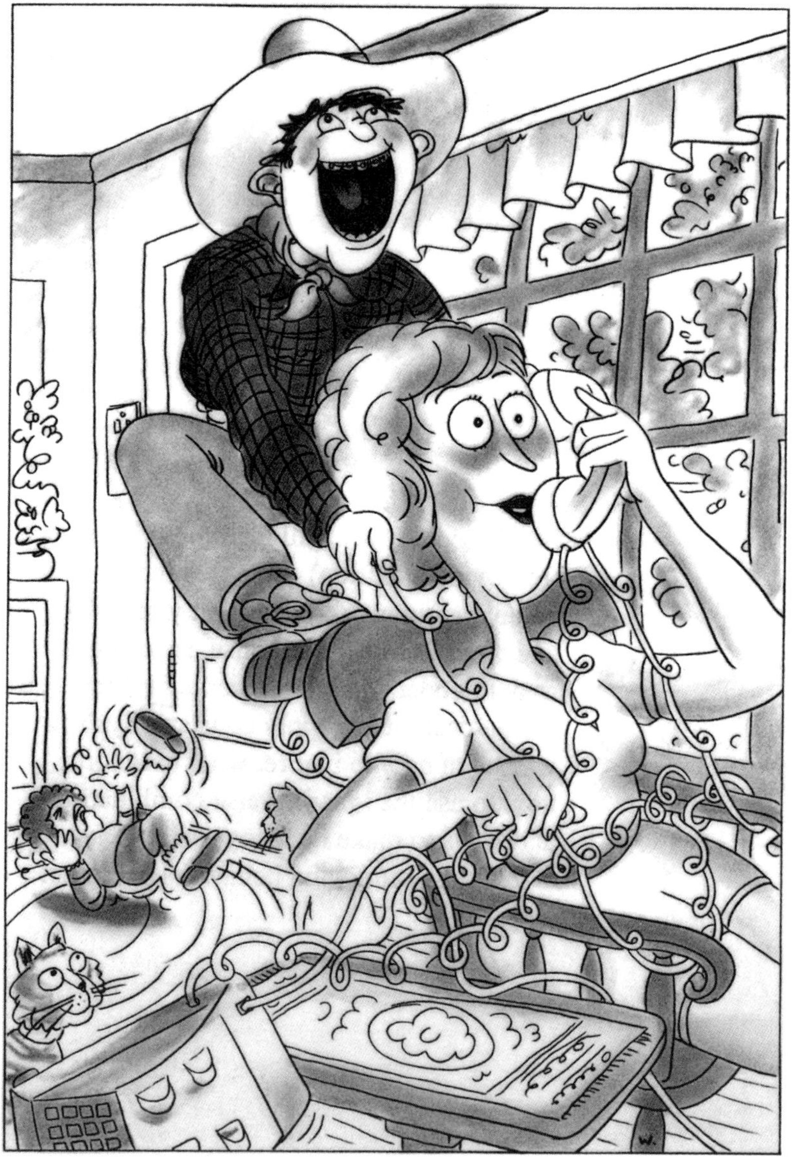

9 無視のしかた
…大切なポイントを おさえよう

　あなたは，子どもの望ましい行動をふやすために注目の力をすでに利用してきました。ステップ2では注意を取り去ることで，してほしくないあるいは少なくしたい行動が減るという考え方について少し説明しました。この**注意を取り去る**ことは，「**無視する**」こととも言えます。
　「無視する」と聞いていぶかしく思うかもしれません。
　「無視するなんて，子どもになにしてもかまわないよと言っているようなもので，無視なんてしたら，子どもは好き放題になんでもやってしまうわ」

　待ってください。そう思う前に，ひとが無視されたときにどういう反応をするか考えてみましょう。

　　あなたは舗道で路線バスを待っています。それは遅れています。時計を見ます。時間は過ぎていきます。バスの来る気配はありません。結局，待つ以外になにをすべきかを決めます。あなたは歩きます。あるいは他のバスにします。友人に車で迎えに来てもらうように電話するかもしれません。あるいはタクシーをつかまえるかもしれません。

　以上のことを分析してみましょう。

行動はバス停に立って待つことです。目当てのバスは来ません。バスはあなたを**無視**しています。あなたはどう反応しますか。待つのをやめ，違う行動をとりますね。そう，バス停を去ります。

　他の例をあげてみましょう。
　　あなたはパーティーに来て，誰かと会話をしています。その人に，自分の子がすごく可愛いことをしたときのことを話しています。相手のひとはあなたから視線をそらしはじめ，少し身体を横に向けて，他の人たちに微笑んだり会釈したりします。その人はあなたの話を**無視**しはじめています。

　あなたの反応はどうでしょう？　その話を手みじかに終わらせ，その人と話すのをやめるか，あるいはもう一度その人を話に引き込むために他のことを尋ねたりするでしょう。その人があなたを無視すれば，あなたは自分の行動を変えますね。

　以上のことは，無視することがいかに子どもに有効であるかを示しています。子どもたちは私たちの注目をとても必要とし，求めています。だから**注目を取り去る**ことは，子どもの**行動を変化させる**のに威力を発揮するのです。

　私は「子どもを無視しなさい」と言っているのではなく，「**子どもの行動を無視しなさい**」と言っているのです。この違いはとても大切です。罰するために子どもを黙殺するのではありません。あるいは非難しているのを思い知らすために不機嫌になったり腹をたてているのでもありません。「これは私がしてほしくない行為です。この行為が続くかぎり，あなたはなんの得もしないし，注目もしてもらえませんよ」というメッセージを伝

えているのです。

　してほしくない行為の代わりに，してほしい行動が現れたときに，それをすかさずほめることができれば，無視は子どもの行動を変える強力な方法となります。つまり，**ほめることが後に続くこと**こそが無視の大切な鍵です。そして，してほしい行動を見つけたら即座にほめなければなりません。無視することによって，してほしくない行動を減らし，ほめることによって，あなたが代わりにどんな行動を望んでいるかを子どもに示します。

　かんしゃくやぐずりといった子どもの行動を通して，おそらく無視の威力を経験ずみではないでしょうか。子どもが手のつけようのないかんしゃくをおこすと，親は落胆のあまり顔をそむけてしまうことがあります。すると驚くことに，子どもは言いはっていたジュースをあきらめて，静かになります。あるいは，「ちゃんとお口で言うまでは聞かないよ」と言って，親は子どものぐずりに対処するかもしれません。それはつまり，ぐずるのをやめないかぎり無視を続けると宣言しているのです。うまく無視することができ，その結果，子どもがいつもの「良い子」の声にもどったことをほめることができれば，してほしくない行動をなくす方向へ向かっているのです。

　以上のことが理解できたからもう十分だと思ってはいけません。このステップの残りの部分を読みましょう。そして，してほしくない行動や減らしたい行動を実際に無視しましょう。もし，無視とほめることが一貫してできたなら，わくわくするようなよい結果があなたを待っているでしょう。

　行動から注意をそらすにはいくつかの方法があります。次のようなことができるでしょう。

顔をそむける
話題を変える
くりかえして言う
他のことに集中する
視線を合わせない
今後は行動に目も耳も向けず，行動に注目しないことを宣言する

私たちはこれらの注目を取り去る方法のすべてを無視と呼びます。

大切なポイント

　無視には，してほしくない行動に対して顔や身体を子どものほうに向けないということが含まれています。同時に，怒りや落胆などの感情を出さないようにします。子どもの気配を感じながら，あなたがしてほしいと思う行動を待っています。しかし他のことに集中していなければなりません。子どもの行動がいらいらさせられるものから，望ましい行為に切りかわったときに，すぐに子どもをほめる準備をしておきます。

　以下のポイントをおさえて効果的に無視します。

目：子どもと視線を合わせない。子どもの行動に注目していないことを示す。

身体：（内心は違っていても）子どもの行動に興味がないことをわからせるために身体の方向を変える。

顔：普通で無関心な表情。（腹を立てていても）怒っているそぶりは見せない。

メッセージ：全くなし。なにも言わず，なんのそぶりも見せない。憤慨してため息などつかない。

感情：表面上は全くなし。怒らず，うんざりせず，他のなんの感情も見せない。時計の秒針に，ラジオの音楽に，着ているシャツの糸くずに……注意を向け集中する。

タイミング：してほしくない行動がはじまったら，すぐに無視する。

ほめる準備をする：してほしくない行動を子どもがやめて，してほしい行動をはじめたらすぐにほめる。無視はほめることがその後にあってはじめて有効です。無視によってしてほしくない行動を減らし，ほめることによってその代わりにしてほしい行動をふやします。

準備のために：無視をはじめると，子どもは，注意（ぐち，たしなめ，批判など）はどこに行ってしまったのだろうと不思議に思うでしょう。そして，あなたが注目しないようにしていると，自分に注意を向けさせるために，その行為をエスカレートさせてきます。それは，「僕の言っていることが聞こえないんだな。もうちょっと大声出してみよう。もうちょっと強く蹴るぞ。どうだこれなら聞こえるだろう」と言っているようなものです。このときこそあなたは腰をすえて無視を続けなければなりません。

父親がスーパーマーケットで無視を使っている例を見てみましょう。

  レジの脇で3歳児のオルガがチューインガムの棚を見ています。
   オルガ：パパ，ガムがほしいなー。

父　親：オルガ，だめだよ．残念だね，歯によくないよ．
　　オルガ：（もっと大声で）ガムがほしい，ガムがほしい．
　　父　親：残念だね，だめだよ．
　　オルガ：（泣き叫んで）ガムー．ガム，ちょうだーい！

　オルガの父親は顔の向きを変えて，食料品をカートから出して，カウンターに並べはじめます．オルガはしゃがみこんで父親のズボンのすそをつかみます．父親は深呼吸を何度かして，静かに，レジの脇の陳列棚から雑誌をとり，それを読みます．オルガの泣き叫ぶ声が数分間強くなります．そして，父親が雑誌を棚にもどし，レジ係とおしゃべりし，レシートをしらべているうちに，オルガの泣き声がおさまりはじめます．父親はしてほしい行動が現れるのを待ちます．やがてオルガは立ち上がります．
　　父　親：カートを押してくれる？
　　オルガ：（まだすねていますが，ちょっと鼻をくすんと言わせ，うなづきます）
　　父　親：ありがとう．たくさん入っていて重いよ．

この父親は正しい方法で無視しています．
　1．身体の向きを変え，注意を向けていません．
　2．他のことか，他の人に集中しています．
　3．気持ちを落ち着けるために深呼吸をいくつかしています．
　4．オルガが結果として静かになると，彼女に注目しています．
　オルガがスーパーマーケットでガムをほしがるときに必ず，オルガの父親は**無視とほめることの組み合わせ**を使います．やがてオルガはぐするのをやめ，「だめ」を受け入れるようになるでしょう．

私は,**無視とは望ましい行動が生じるのを待つこと**であると考えます。「待つことだって？ 誰にそんな時間があるのか,そんな忍耐力があるのか？」と思うひともいるでしょう(11章でこのことについてさらに述べます)。
　しかし,私は無視することに時間を十分に使うことをすすめます。かんしゃくがおきそうなときには,時間的なゆとりをもちましょう(たとえば,子どもが歯をみがくのを嫌がるためにかんしゃくをおこすときなど)。そうすることでほめるべき行動が現れるのを落ち着いて待つことができます。
　あなたは子どもよりもがまんできなければなりません。くじけそうになるかもしれませんが,くじけてしまったら,してほしくない行動に注目することで,その行動を定着させてしまいます。そうなってしまっては,その行動を変えることがよりむずかしくなります。

　無視とほめることの組み合わせを一貫して用いはじめると,してほしくない行動がおさまるまでの待ち時間は確実に短くなります。あなたは一目おかれるようになります。あなたの子どもは,無視するときあなたが本気だということ,けっして注意を自分に向けてくれないことがわかるでしょう。してほしくない行動は少なくなり,短くなり,扱いやすくなるでしょう。

無視することを予告しましょう
　子どもの行為を無視すると予告したときに,それをきちんと実行するならば,その予告は効果があります。前の例では,オルガは泣きはじめたとき,父親は「オルガ,静かになるまで聞いてあげないよ」と言うこともできました。そして,オルガが言ったことに従えるまで,オルガのことばと行為をすべて無視したかもしれません。

> 🐻 やってみましょう 🐻
> # 大切なポイントをおさえて無視しましょう

● 第3章の実践で作成した，してほしくない，あるいは減らしたい行動のリスト〈→31 – 32ページ参照〉を用います。

あなたの子どもがそれらの行動のどれか，たとえば，妹と口げんかしている，口答えをする，爪をかむ，ふてくされているのを見たときには，無視するようにしましょう。そして自分自身をチェックします。大切なポイントをおさえていますか？

● 大切なポイントが習慣的に身につくまで，次のリストにしたがって思い出してください。

チェック	項目
☐	1．子どもに目を向けないようにしていたか？ 視線は合わせていなかったか？ 身体の向きを変えていたか？ そうすることで，注意を向けていないように見えただろうか？
☐	2．私の表情は普通だったか？ 無表情だったか？ なにも言わなかったか？ ことばとことば以外のメッセージを伝えていなかったか？ ため息をつかなかったか？
☐	3．感情的でなく，物静かに見えただろうか？ 子どものことを気にしていないように見えただろうか？
☐	4．してほしくない行動がはじまったらすぐに，あるいは無視することを宣言した直後に，無視をはじめただろうか？
☐	5．子どもがその行為をやめたときに，あるいはしてほしい行動をはじめたときに，私は子どもをほめただろうか？

ステップⅢ あなたがしてほしくない行動を減らしましょう

● ここで学んだこと ●

無視によって，してほしくない，あるいは少なくしたい行動を効果的に減らすために，無視の大切なポイントを確実に身につけましょう。

☆視線を合わせない。
☆子どもの方を向かない。
☆なにか別のことに集中する（時計，呼吸，数を数える，読み物）。
☆普通の顔，無表情。
☆なにも発さない。ことばとことば以外のメッセージを伝えない。
☆物静かにしている。感情的な関心を示さない。
☆すぐに無視する。

そして，その行為をしなくなったとき，してほしい行動が現れたとき，ほめましょう。

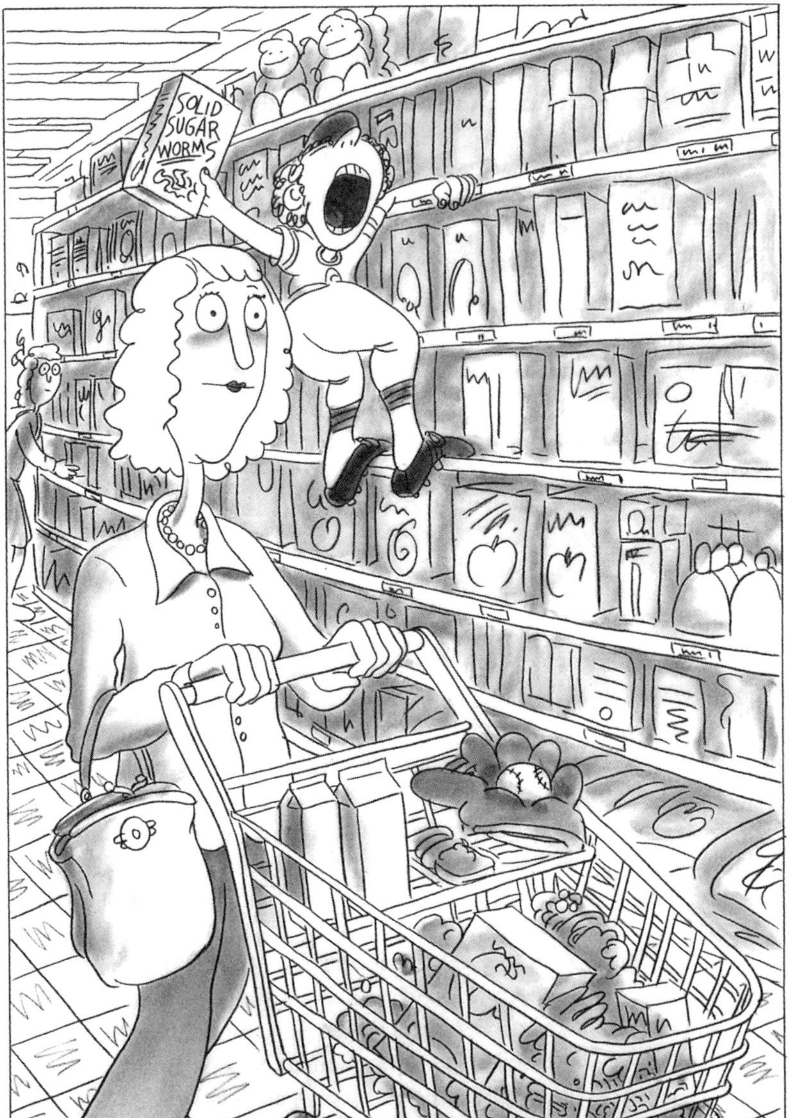
SOLID
SUGAR
WORMS

10　いつ無視するか

　子どもがしてほしくない，あるいは減らしたい行動をはじめたら，必ずその行動を無視します。あなたがしてほしいと思う行動をはじめるまで，無視し，そしてほめます。第3章のリストにあげた，してほしくない，あるいは減らしたい行動のすべてに対して無視します。ただし，最初は，特定の行動だけを無視するほうが，はじめやすいことがあります。

　ある行動に対して無視をはじめると，**その行動が減りはじめる前に，短期間はふえる**ことがあるのを忘れないでください。しかし，がまんして無視を続けると，その行動は減っていきます。望ましくない行動の，反対の行動をほめることによって，してほしくない行動の代わりになにをしてほしいと思っているかを子どもに教えましょう。

　次のことを実践することで，「無視とほめること」の組み合わせをいつ用いるべきかが理解できます。

🐻 やってみましょう 🐻
無視とほめることの組み合わせを用いましょう

1　してほしくない行動と少なくしたい行動のリストをもち歩きましょう。

2　してほしくない行動のとなりに，その代わりにしてほしい行動をそれぞれ書きとめておきます。

してほしくない行動	してほしい行動
ぐずる	普通の声で話す
母親をたたく	「頭にきた」と言って，怒りを表す
車の中で不平を言う	我慢している
かんしゃくをおこす	親が「だめ」と言うのを受け入れる
ふてくされる	どうしたいのかを親に話す

3　減らしたい行動をひとつ選び，その行動に狙いを定めます。その標的となる行動（以下，**ターゲット行動**）が起きるたびにそれを無視します。

4　（リストのしてほしい行動でなくても）好ましい行動が現れたらすぐにほめます。

5　ターゲット行動に代わって，してほしい行動が現れたと

きは必ずそれをほめます。

〈訳者補足〉たとえばリストのなかから「かんしゃくをおこす」という，してほしくない行動を〈ターゲット行動〉とします。「かんしゃくをおこし」たときには必ず無視し，（代わりにしてほしい行動である）「親が『だめ』と言うのを受け入れ」たときには必ずほめます。これがここでの練習のポイントです。

無視とほめることの組み合わせの効果をしらべることができます。週ごとに記録をつけましょう。ターゲット行動が起きるたびに記録します。その行動が減っていくのがわかるでしょう。

がんばってやり続けてください。これはこの本の中で一番むずかしい方法です。11章にさらに役立つことが書かれています。

● ここで学んだこと ●

してほしくない行動を減らすために…

☆してほしくない，あるいは少なくしたい行動がなにかを決めます。それを無視しましょう。
☆代わりの行動を決め，それをほめましょう。
☆してほしくない行動が少しふえることを予想しておきましょう。しかし，無視は続けましょう。
☆ターゲット行動が生じる回数を数えましょう。
☆ターゲット行動が減ることを確認しましょう。
☆「よくやっているね」と自分をほめましょう。大変むずかしいことをやっているのですから。

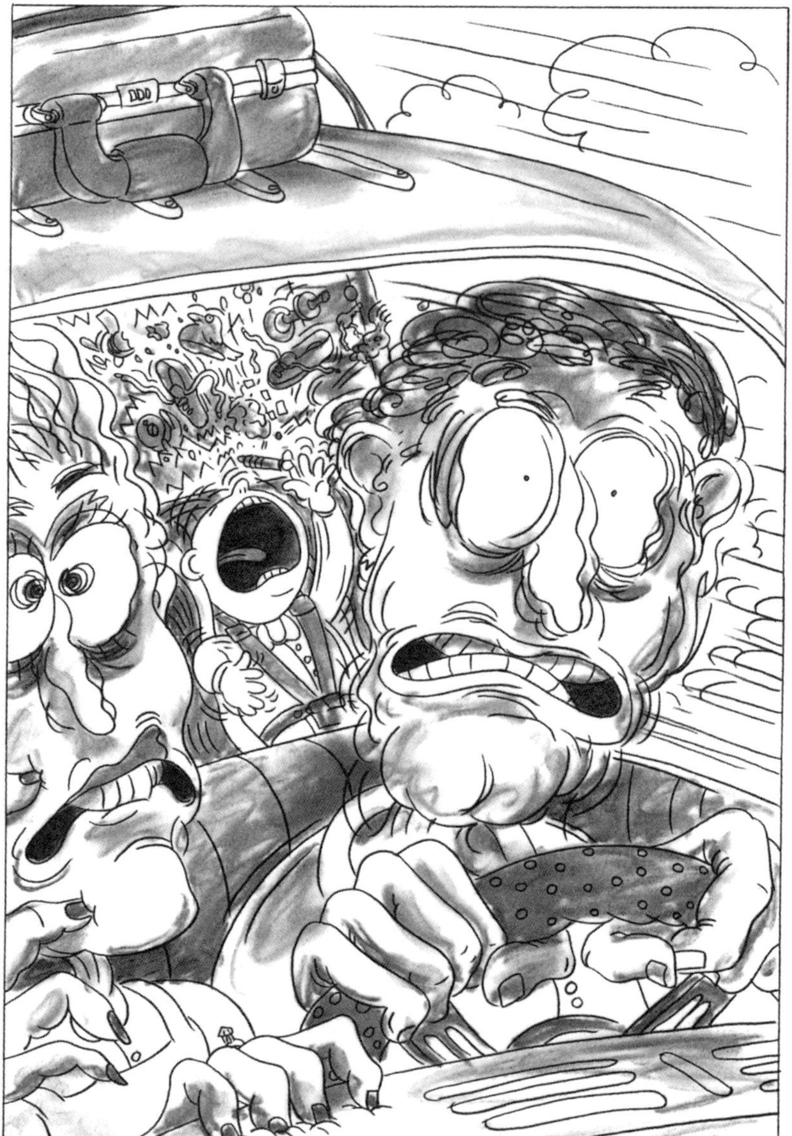

11　無視することが
　　むずかしく思えるとき

　子どもの行動は場面によっては，無視することがむずかしいことがあります。

　あなたは高速道路で車を運転しています。すると，子どもたちは，「つまらない」「もうあきちゃった」「どれくらいかかるの」，あるいは座席のうばいあいなどで文句を言いはじめます。様子が目に浮かぶでしょう。

　あなたは電話をしています。友だちと会話を続けようとします。しかし，あなたの2歳の子はあなたを引っぱります。自分が話したいと言いはります。あるいは電話をやめてと言いはります。

　職場から帰って，あなたは料理をしています。「野菜を洗って」とか，なにかお手伝いを頼みます。あなたの7歳の子は，「なんで，ぼくがなにもかもしなきゃならないの」と言って従おうとしません。

　減らしたいと思う行動の多くは，とてもいらいらさせられるものです。そのため，親にとって怒るのをがまんするのは大変なことです。親は「どうやって無視するのですか」と私に聞きます。「なにもしないなんて，できるわけないでしょう」と言います。
　いいえ，**無視の奥義はなにもしないことではありません。他になにかを**

することです。いらいらさせられる子どもの行動ではなく，それ以外のことに集中するのです。

　無視がむずかしい理由のひとつは，私たちの多くが，小言やおしおきや不満ばかり言う母親や父親に育てられたためです。深く考えることなく，私たちはこの昔からのしつけ方をくりかえしています。「えっ，自分も母親や父親と同じなのか？　親と同じように，小さなわが子に皮肉を言ったり，完ぺきを求めていたのだ」。そう思うと恥ずかしくなります。でも，私たちはしゃべりはじめる前に，また分別がつく前からこのやり方を教えられたのです。この習慣の代わりに新たな方法を用いることを意識しないかぎり，同じことをくりかえしてしまうでしょう。そして，私たちの子どもも自分たちの子どもにこの昔からのしつけ方をくりかえすでしょう。

　小言やおしおきや不満を言うこと（つまりことばでおしおきをすること）がなぜ問題なのでしょう？　問題は行動に注目をするという点にあります。行動を減らすためには注目をしないことです。
　親によっては，行動を無視すると子どもにその行動を許すことにならないかと心配する人がいます。そうではありません。無視は「私はその行動は好きではない。それでは，あなたは注目してもらうことができないよ」というメッセージを子どもに伝えることです。
　相談に来る親の中には，子どもに対してとてもいらいらしているときは，無視するのを忘れてしまうと言うひとがいます。ある夫婦は，無視することを相手に思い出させる上手な方法を見つけました。息子がしてほしくない行動をしはじめ，一方の親がそれに応じようとしたとき，パートナーが「ねー，そういえばドゥーリトルさんから電話があったよ」と言います。これは無視のサインを送るだけでなく，必要なら，「ありがとう。今すぐ連絡してみるわ」と言ってその場から立ち去る機会を与えます。

他にもこんな例を聞いたことがあります。ある両親は無視することをはじめたのですが，すぐにねをあげてしまったそうです。子どものしつこさに参ってしまったのです。これはよくわかることですね。行動を無視しはじめると，あなたの注意を引き戻そうとして，子どもはその行動を頻繁に行います。たとえば子どもが悪口を言うとしたら，それを無視するとしばらくの間悪口はふえます。

　無視を続けることにおいてこの時期がもっとも大事です。あなたは子どもに負けてはいけません。くじけたりどなったりすれば，必ず，それはその行動を正当化してしまうことになります。無視することのむずかしさはわかっています。しかし，努力するだけの価値があることなのです。

　信じてください。ターゲット行動を一貫して無視し続け，その結果子どもがしてほしい行動をしたときに，無視に続けてほめることを忠実に行うなら，——あなたは成功するでしょう。あなたが学ぶ方法のなかで，無視はもっともむずかしいことかもしれません。しかし，それは多くの家族を助けてきました。そして，あなたの助けにもなります。

　次のようのことはありませんか？

　　あまりにもいらだっていたり，腹が立っていて無視することができないと感じる
　　ある特定の行為においては無視することを忘れてしまう
　　行動を無視しはじめるのだが，結局，どなったり罰したり，あるいはくじけてしまったりする

　こういうときこそ，子どもの行動に注目しないようにすることと，ほめ

ることを忘れないための助けとして，次の**アクションプラン**〈無視を実行するための計画〉が必要です。

🐱 やってみましょう 🐱

【無視のアクションプラン】をつくりましょう

● してほしくない行動と少なくしたい行動のリストを読み返してみましょう〈→82ページ参照〉。ターゲット行動として，やめさせたい行動をひとつ選びましょう。

● 次の質問に答えながら，ターゲット行動を無視するためのアクションプランをたて，メモ帳に記入しましょう。

Q1 どんなことがしてほしくない行動，あるいは少なくしたい行動だろうか？
Q2 それの代わりにしてほしい行動はなんだろうか？
Q3 どこでしてほしくない行動は起きるだろうか？
Q4 いつそれは起きるだろうか？
Q5 同時にどんな行動が生じるだろうか？
Q6 その行動が生じたとき，私はどうしたらいいだろうか？（目や身体や感情はどうだろうか？）
Q7 その行動に集中する代わりに，なにに集中するか？

Q8　くじけないために自分自身を励ますことばとして，どんなことがあるだろう？

Q9　してほしくない行動をやめたとき，あるいはしてほしいと思っている行動をしはじめたときに，私はなにをしたらいいのだろうか？

Q10　もし子どもがその行動をやめなければ，私はなにをすべきだろうか？

《例》
　　6歳のティナが台所にやって来ました。母親のマギーはふたり分の夕飯を作ったところでした。マギーはティナに「テーブルを用意して」と言います。ティナは母親に「私をシンデレラみたいにこき使うのね！」と叫びます。マギーはもうれつに腹が立ちます。彼女の友人の子どもたちはティナよりも家の手伝いを多くやっています。マギーはティナがもう少しお手伝いができてもいい年頃だと考えています。しかし，シングル・マザーのマギーはティナとぶつかるのがいやです。とくに夕食の時間にそうなるのがいやです。ふたりにとって夕食は，くつろいでおしゃべりのできる時間であってほしいと思っているからです。彼女は「そう，今夜はテーブルの用意をしなくてもいいわ。でも明日からはテーブルの用意はあなたの仕事よ。料理が私の仕事と同じようにね」と言って，ぶつかるのを避けます。
　　翌日，職場に向かう車の中で，マギーは「ティナにテーブルを用意してと言ってもおかしくないはず。6歳の子どもにとってテーブルを用意するのは無理なことではない。

4歳でもできることだ」というふうに，心の中で考えて決心します。しかし，その晩にぶつかり合うのが心配です。彼女はティナが腹を立て，口答えしてきたり，不平を言ったり，ひどくかんしゃくをおこすだろうと思っています。

そこで昼休みに彼女は次のようなアクションプランをたてます。

Q1；どんなことがしてほしくない行動，あるいは少なくしたい行動だろうか？
⇒　不平，ぐずる，金切り声をあげる，部屋でどんどんと足踏みをする

Q2；その代わりにしてほしい行動はなんだろうか？
⇒　テーブルの用意をする，あるいはせめて，そのことについて私と落ち着いて話し合う

Q3；どこでしてほしくない行動は起きるだろうか？
⇒　台所

Q4；いつそれは起きるだろうか？
⇒　およそ6時頃。夕食の直前

Q5；同時にどんな行動が生じるだろうか？
⇒　私は…料理をしている。どちらもお腹がすき，疲れていて，かっとなりやすい。
　ティナは…彼女の好きなテレビ番組を見ている。じゃまされるのがとてもいやだ。私は口論するのがいやだから，テレビと

夕食の後に宿題をやってもいいことにしている。

Q6；その行動が生じたとき，私はどうしたらいいだろうか？（目や身体や感情はどうだろうか？）
⇒　まず，静かに，しかし，しっかりとした声で「あなたがテーブルを用意したら，私は夕食を運ぶわ」とティナに告げる。次に抗議がはじまったら，私はゆっくりと他の方を見て，身体をよそに向けて，ゆったりと呼吸するように努力する。

Q7；その行動に集中する代わりに，なにに集中するか？
⇒　私は台所へもどり，野菜を混ぜて，パスタのゆでかげんをみて，パンをオーブンに入れる。とにかくやるべきことはたくさんあるのだから，聞こえていても，聞いていられないということをわからせるのはむずかしいことではない。

Q8；自分自身を励ますことばとして，どんなことがあるだろう？
⇒　この行動を無視したら，いずれティナはその行動をしなくなる。「私はできる」「ティナは子どもだし，私はおとななのだ」「私は手伝いをしてもらう権利があるし，子どもも手伝うのは当然だ」「もしティナにまったく責任を与えなければ，彼女は甘やかされてどうしようもない怪物になってしまう」

Q9；してほしくない行動をやめたとき，あるいはしてほしいと思っている行動をしはじめたときに，私はなにをしたらいいのだろうか？
⇒　不平，おお騒ぎ，口答え，泣きわめきをやめたら，ティナ

に注意を向ける。

　言い争いにならないようなことを尋ねたり，あるいはティナが選べることをなにか言う。「牛乳とジュースのどちらがほしい？」それは緊張をほぐし，彼女になんのわだかまりも残っていないことをわからせる。「私と同じくらいお腹がすいて疲れてるのね」と言って，彼女のことを理解しているのをすこし知らせるのもいい。彼女がテーブルを用意しはじめたら，「ティナ，ありがとう。とても助かったわ」と言う。

Q10；もし子どもがその行動をやめなければ，私はなにをすべきだろうか？
⇒　ティナはやめないかもしれない。泣いて寝てしまうかもしれない。もし私が断固とした態度なら，やがて食卓の用意をするだろう。しかし，彼女が折れないときの用意もしておかなければならない。なにか面目が保てるような妥協策を考えておいて，彼女に申し出ることができるようにする。夕食の準備がすべてできていたら「お母さんはやることが終わったから，なにか手伝ってあげようか」と言うことができそうだ。フォークを手渡すこともできるだろう。きっと彼女はそれを受け取って，テーブルの用意をはじめるに違いない。

　この**アクションプラン**は，彼女が予想しているティナとの争いに対する準備に役立ちます。計画をもつことで，「助けて，どうしたらいいの」と親が感じるおそろしい瞬間を回避できます。

　アクションプランはマギーがティナの行動を予測するうえで役立ちます：この行動のどこか一部にでも私が好きなことがあ

るだろうか。その代わりにどんな行動を私は望んでいるのだろうか。この行動のどこがしてほしくないことなのだろうか。

アクションプランは，彼女がしてほしくない行動を無視し，してほしい行動をほめるために待つのだということを思い出させます。

なにに集中するかを前もって計画することで，マギーは無視することを思い出しやすくなり，緊迫した状況でも無視することができるでしょう。ティナとぶつかる前に，心の中で練習することもできるし，実際に身体を動かして練習すればさらにいいでしょう。

自分を励ますことばは「踏みとどまれ，きっとできる」というシンプルなものでもいいでしょう。しかし，それは自分の責任への自覚を促す短いことばでもあります。マギーはへとへとになっています。ティナが食卓の用意をするのを期待していますが，平穏であることも望んでいます。彼女の気持ちが行きつ戻りつして迷っているかぎり，ティナは母親の揺れ動く気持ちを感じとって，協力しようとはしないでしょう。彼女は自分を励ますことばを唱えるうちに，自分が親であることを思い起こします。マギーには食卓の用意という小さな手助けを要求する権利があります。もっと大切なのは，ティナは責任ということを学ばなければならないということです。すべての家庭で，とくに単親の家庭では，家族みんなが精一杯協力しなければなりません。この大切なしつけを行うのは親の義務です。

ティナがちょっとでもかんしゃくをおこしたら，マギーはそ

の度に無視の力を思いださなければなりません。なぜなら，過去においては，マギーは親子げんかを避けようとして，ティナのかんしゃくに負け，大騒ぎさえすればなんでも望みがかなうとティナに思いこませてしまったのです。マギーはその悪い習慣には効果がないことを示さなければなりません！

　ふてくされるとか，憎まれ口をたたくとか，口答えをするなど，とくにいらだつ行動を無視することは，気が疲れ，またなかなかうまくいかないものです。新たなターゲットを決めたらアクションプランをたてて無視を実行するための準備をしましょう。なにをまたどのようにして無視するか，なにをするかあるいはなんと言うか，なにを考えるかを明確にすることによって，してほしくない行動を上手に無視し，その行動を減らすことが上手にできるのです。

　あなたは無視することを自然にできるようになり，無視はあなたの対処法の中で威力のある手段となります。

● ここで学んだこと ●

無視は望ましくない行動をなくすうえで強力な道具です。しかし，容易なことではありません。練習を必要とします。とくにいらだちを感じる行動を無視するのを助けるために，アクションプランを立てて心の準備をしましょう。

☆次の質問に答えましょう。
◇減らしたい行動はなにか？
◇代わりにしてほしい行動はなにか？
◇どこでしてほしくない行動は起きるか？
◇いつ起きるか？
◇同時にどんなことが起きるか？
◇その行動が起きたとき，（視線，身体，感情も含めて）自分はどうしたらいいだろうか？
◇その行動に集中する代わりになにに集中するか？
◇自分を励ますことばはなにか？
◇そして，してほしくない行動をやめて，してほしい行動をはじめたときに，その行動をふやすためにどうやってほめるか？
◇子どもがしてほしくない行動をやめようとしないとき，なにをするか？

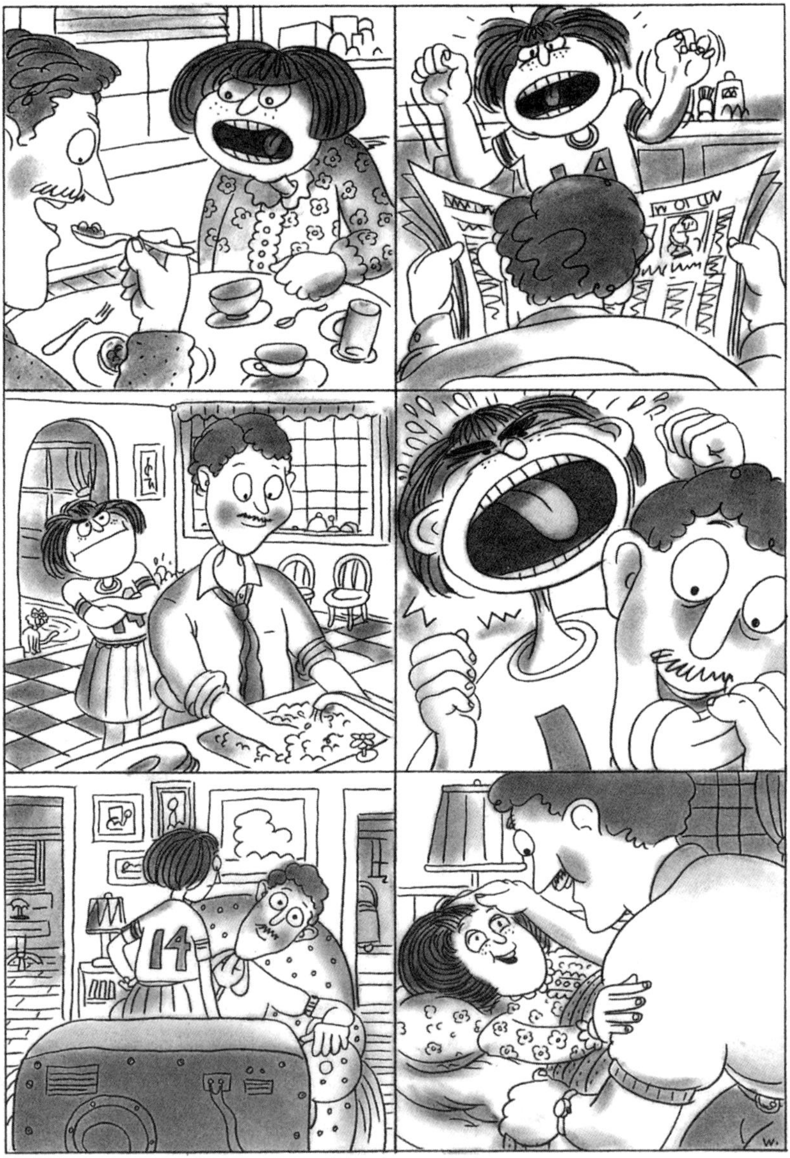
14

12　無視を習慣として身につけるには

みなさんはどのように，またどんなときに無視するかを学びました。また，無視がむずかしいときに役立つアクションプランを学びました。ここでは習慣的に無視ができるようになりましょう。してほしくない行動を**反射的に無視**しましょう。なぜなら，たまに無視してもうまくいかないからです。してほしくない行動を減らすには，毎回その行動を無視しなければなりません。

6歳の男児の母親であるシェイラは「してほしくない行動」の欄に「ちょっとしたことで毎回私を呼びつける」と記入しています。していることを中途にして子どものところへ走りよるという彼女の習慣は，子どもが乳児のときから身についたものです。彼女は泣き声や呼びかけに適切に応じていたのです。しかし，子どもは自分から来ることができる年齢になっています。自分は彼の召使いではないのです。そんなふうに扱われるのはもううんざりです。

シェイラは無視とほめることの組み合わせを使うことにしました。家族に集まってもらい，息子に次のようなことを話しました。本当に母親の手が必要なとき，たとえばけがをしたとか，とても怖い思いをしたときは，あなたが呼べば私は来る。しかし，母親に見てほしいものがあるときには，自分から来る。

「あなたはもうそれができる年齢でしょう」そして彼女は，「これからは，あなたが呼んでも来ないけど，私がどこにいるか，『台所よ』『寝室よ』と返事して知らせるわ」と宣言しました。どこにいるか知らせれば，子どものほうから彼女を探しに来れます。

シェイラは一生懸命にやりましたが，無視とほめることを一貫して行うのはむずかしかったのです。ときには忘れてしまい子どものところへ行ってしまいます。ときには頭にきて「呼ばないで，ここに来なさい」と叫んでしまいます。一貫しないので，子どもが呼ぶ回数が逆にふえてしまったのです！　私はシェイラに**無視を習慣にする練習**に取り組むように言いました。

子どもの行動と彼女の反応を記録することが役立ちました。すぐにシェイラは子どものところへ行こうとする自分を抑えることができるようになりました。子どもが彼女を呼んだとき「洗濯場よ」と返答しました。どうしても母親に来てほしいときは，子どもの方から用件を言ってくることをシェイラは理解しました。あるときは「じゃー，いいよ」と言い，他のときは急いで自分から来ます。子どもがそうしたときには，「来てくれて，ありがとう」と言ってほめます。そしてなにか必要としていることを手助けし，子どもが求めている注目を与えます。

シェイラは子どもの習慣を壊すために自分自身の習慣を壊さなければならなかったのです。無視とほめることの計画に忠実でなければならなかったのです。

してほしくない行動また減らしたい行動に対処するために，無視を習慣化する練習をやってみましょう。

> 🍎 やってみましょう 🍎
> **無視を習慣にしましょう**

● メモ帳に4つの欄を作ります。最初の行の各欄には次のように書き入れます。

　　してほしくない行動
　　どのようにして無視するか
　　なにをほめるか
　　どのようにほめるか

　すぐにメモ帳を使えるようにしておきます。一日に，子どもの行動を無視するために努力した例をできるだけ多く記録します。ページの半分が埋まります。そしてページ全体が埋まります。実践すればするほど無視は強力な道具となるでしょう。

　9歳の子どもの親のメモ帳は次のページのような記録になります。

あなたの例を見てみましょう。
　大切なポイント（9章参照）を用いていますか？
　ほめる行動を探していますか？
　ほめる行動を待つことができましたか？

12 無視を習慣として身につけるには

してほしくない行動	どのようにして無視したか	なにをほめたか	どのようにしてほめたか
ふてくされる	ラジオを聴いていた	子どもが話したいと言ってきたこと	子どもの脇に座って話を聴いた
「お皿を洗うのを手伝うまで外に出てはだめ」と言ったとき，口答えした。	電話をかけ，子どもから向きを変えた	子どもがあやまり，皿洗いを手伝いはじめたこと	「あやまってくれて，ありがとう」と話しかけ，一緒に皿洗いをした
弟の算数のテストの点が悪いのをからかった	弟のほうをなだめる	子どもが，弟に「ひとつくらいテストが悪くても平気だよ」と話しかけたこと	子どもを軽く抱き寄せ，「弟を元気づけてくれてありがとう」

上の例では親がどのようにして「無視とほめることを」用いているか気がつきますか？

◆ 彼女はラジオか電話に集中した。
◆ 注意を他の人の方に向け変えた。
◆ 親がしてほしいと思う行動をしたとき，きちんと行動できたことを喜び，そしてほめた（ことばで，ことば以外で，手助けをして，共感して，感謝して）。

　注目は家族の誰からのものであっても，ターゲット行動が生じ続けるのを助長します。**あなた以外の家族に無視の意味と効果を教えましょう。**とくに頑固な行動には家族全員の協力が必要なのです。

●ここで学んだこと●

☆ 無視とほめることの組み合わせは，それを減らしたい行動に対して，毎日，また一貫して用いるときに有効です。

☆ あきらめてはいけません。してほしくない行動を選びそれを無視しましょう。代わりにしてほしい行動をほめましょう。そして自分自身を励ますことばで自らを勇気づけましょう。そうすれば，あのいらいらさせられる行動を減らし，すばらしい行動をふやすための魔力が発揮されるでしょう。

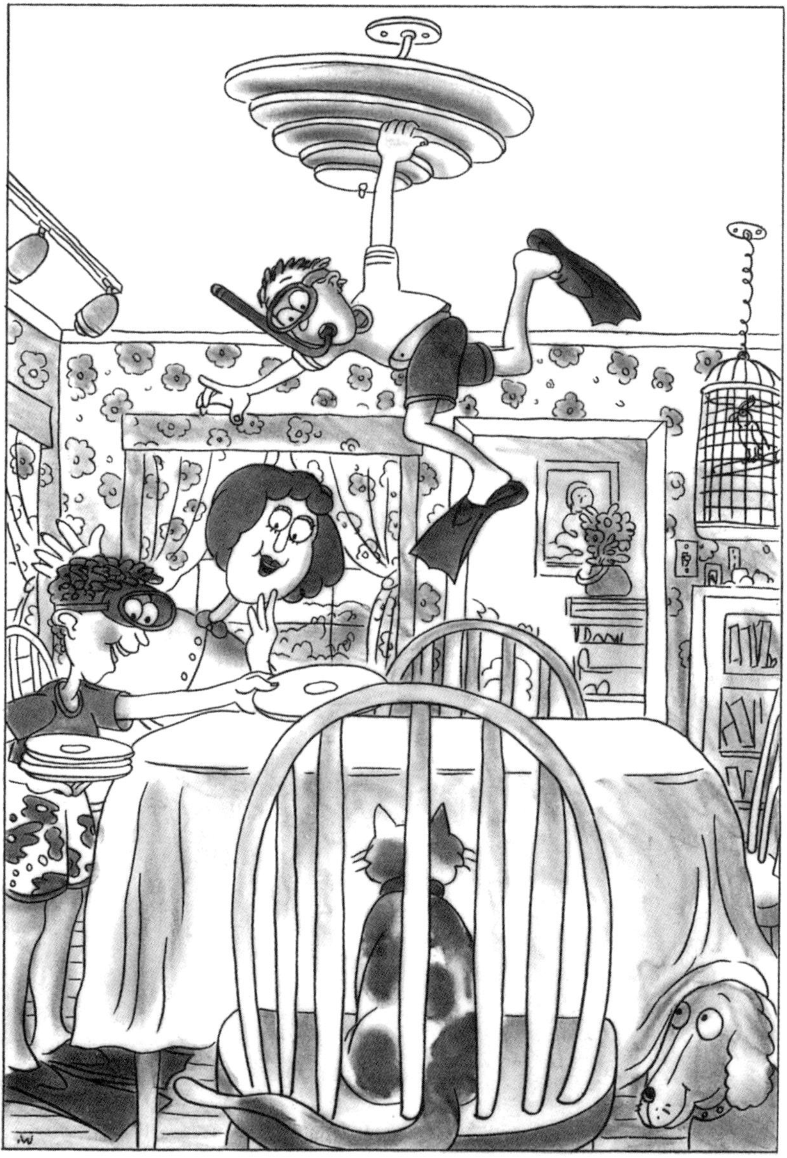

13　子ども同士の力を利用して協力をうながそう

　信じられないかもしれませんが，ひとりの子どもを扱うよりも，ふたりかグループのほうが子どもはより扱いやすいのです（よりおとなしいというのでははく，コントロールしやすいという意味です）。子どもがひとりのときにしたように，**ほめること**や**無視とほめることの組み合わせ**を，子どものグループに用いればいいのです。考えてみれば，つきあいでふたり以上の子どもの面倒をみることはよくあることです。

　　　自分の子どもがふたり以上いる
　　　いとこや子どもの友だちが訪ねてくる
　　　学校や教会に，よその子どももいっしょに車で送り迎えをする
　　　誕生日のパーティー
　　　友人の子どもを預かったり，子守をしたりする
　　　食べ物持参のパーティー
　　　海岸や映画に出かける
　　　地域の行事や集まり
　　　子どもの教室で過ごす

　このような場合は，次の簡単な法則を思い出すことでより円滑に対処す

ることができます。

子どもたちの誰かが，あなたがしてほしいと思う行動をしたら
……ほめましょう

誰かが，してほしくない行動をしたら
……それが耐えられないほどではないなら——その行動を無視しましょう

あなたが望むこと，つまり協力している子どもを探し，見つけましょう。

それから……
協力している子どもをほめましょう。その間，他の子どものよくない行動は無視し続けます。

待ちましょう。そして，協力しなかった子どもが言うことを聞いたときには，すぐにほめましょう。

ここでひとつ，例をとりあげてみましょう。メディナ夫人はわが子のローザとサム，その友だちのドリスとピーターを映画に連れていきます。次のように，子どもたちにしてほしいのです。

　　たたきあったりしない
　　車ではシートベルトをつける
　　車と映画館の中では静かな声で話す
　　通りを横切るときには手をつなぐ

してほしくない行動は…
　　たたく
　　車の中で立ち上がる
　　口げんかや怒鳴りあう
　　通りを走る

メディナは次のようなときに，無視を用いました。
　　ローザが「シートベルトって大嫌い」と言う
　　ピーターの声がだんだん大きくなる
　　サムがほんの少し先を走っていく
　　ドリスが「弟のとなりに座りたくない。くさいんだもの」と言う
　　子どもたちが互いにちょっかいをだしはじめる

　メディナは，**してほしい行動をしている子どもを見つけます。そして協力している子どもをほめます**。そのときには次のように言います。
　　「あなたたち男の子はたいしたものね。シートベルトをするのがとても素早かったわ」
　　「サム，ありがとう，お家で話すような静かな声で話してくれて」
　　「ローザ，言われなくても，ドリスと手をつないでくれてるのね。ありがとう。」
　　「あなたたち女の子が，たたいたりしあわないのでとっても助かったわ」

　メディナは，まちがった行動の渦に巻き込まれることなく，**無視とほめることの組み合わせ**を用いて子どもたちの行動を規制しています。協力してくれる子どもにほめるというごほうびを与え，叱られるのではないかという不安を与えないようにしています。すぐに女の子たちはシートベルト

をします。ピーターは声を小さくします。男の子たちはちょっかいを出さず，サムとピーターは歩道で手をつなぎます。

ここで注意すべきことがあります。母親は他の子どもの行動をほめますが，互いを比較したり，誰かひとりの子を非難していません。目的は子どもたちの協力を誘うことで，子どもをけなすことではけっしてないということです。

　　まちがい：ドリスとローザに「男の子たちはできたのに，あなたたちはシートベルトをとめることができないの」
　　正解：サムとピーターに「シートベルトをすぐに着けてくれてありがとう」

　他の子どもの模範的な例をほめることで，一方の子どもにそれとなく協力を促すという方法は，いろいろな状況で応用が可能です。
　　たとえば…
　　　　他のきょうだいが食べているのに，ひとりの子どもが豆に手をつけようとしない。
　　　　⇒「マギー，お豆を食べてえらいわね」

　　　　他の子が洋服を着終わっているのに，ひとりの子がぐずぐずして着てない。
　　　　⇒「マット，靴まではいたんだ，えらいね」

　　　　きょうだいのひとりが自分たちの部屋のかたづけをしたのに，もうひとりは自分の使う机をかたづけていない。
　　　　⇒「ニック，あなたの使う机はきれいになったわね。ありがとう」

ひとりの子がぎゃーぎゃーと叫んで，他の子はあなたが耐えられるくらいの声で話すとき。
⇒「マリオ，静かな声で話してくれてありがとう」

　他の子はマーカーを貸し合うのに，ひとりの子はみんなといっしょに使いたがらない。
⇒「サチ，マーカーを他の子に貸してくれて本当にありがとう。」

このような状況では，他の子どもたちに聞こえるようにほめましょう。そして待ちます——従わないのを無視しながら——他の子や子どもたちが，あなたがしてほしい行動をしはじめるのを待ちます。誰かがその行動をしはじめたときには，肯定的な注目を与え，ほめます。

🍎 やってみましょう 🍎
子ども同士の力を利用して協力を促しましょう

● 子どもたちがお互いに巻き込まれるような行動で，してほしくない行動あるいは少なくしたい行動を選びます。その行動の反対はなにかを決めます。

● 次に，してほしくない行動に対して——無視します。してほしい行動をしている他の子どもを見つけます。そして，その

子のしている行動をほめます。

《例》
　　夕飯の食卓に子どもたちを呼びます。ひとりの子はいつもぐずぐずしてなかなかすぐに来ません。子どもたちのうち誰かが，食卓へやって来たり，「いま行きます」と答えたら，簡単に「すぐ来てくれてありがとう」とその子をほめます。もうひとりの子どもに注意を向けないようにします。するとその子は，すぐにほめられた子と同じようするでしょう。なぜなら，その子も注目してほしいからです。

● メモ帳に3つの欄を作り，次のような項目を書きます。
　ひとりの子どもにしてほしかった行動
　どのようにして他の子どもをほめたか
　次になにが起きたか

● 他の子どもの行動をほめることによって，ある子どもの行動を変えようと思うときには，必ず次ページのように一覧表にそれらの行動を書き加えます。

　あなたにとってこのやりかたはもっとも役立つもののひとつとなります。一覧表を作ることで，**悪い行動ではなく，良い行動に意識を集中させることができます**。以前だったら緊張が高くなっていた状況が，今は穏やかに上手に扱えるようになるでしょう。この**一方を無視し他方をほめること**が完全に身につくまで，練習を重ねましょう。

リーに してほしかった行動	どのようにして アリソンをほめたか	次になにが起きたか
泥の水たまりで足踏みするのをやめる	「水たまりの縁を歩いてくれて,ありがとう」と言った	リーは「ママ,見て,水たまりを飛び越えるから」と言った

● ここで学んだこと ●

☆ふたり以上の子どもがいるときには,ある子どものしてほしくない行動をやめさせるために,他の子どもが,してほしい行動をしたときにほめます。協力してくれたときは必ずほめます!

☆比べてはいけないということを忘れないでください。
まちがい:エリオットごらんなさい。ベンはちゃんとやってるじゃない?
正　解:ベン,ちゃんとやれてるねー!

ステップ **IV**

協力を
ひきだしましょう

この章では子どもの
協力をひきだすための4つの方法を紹介します。
これらはお手伝いや課題をしてほしいと
思うときに，子どもが協力するよう励まし
親子の対立を少なくするテクニックです。
子どもに**選択させる**，**予告する**
～したら～できるという取り決めをする
この3つの方法は単純で，がみがみ小言を言う
代わりとなり，物事がずっとうまく運びます。
よりよい行動のためのチャート
(Better Behavior Chart:BBC)は
数週間で行うプログラムで
とくに一日のなかでトラブルの起きやすい時間帯
(学校へ行く前とか就寝時)を対象とし，一日を通して
より多くの協力を生み出すための方法です。
子どもの協力をひきだせれば
そのぶん，ステップ5で扱うような
厳しい基準での指示をしなくてもすむでしょう。

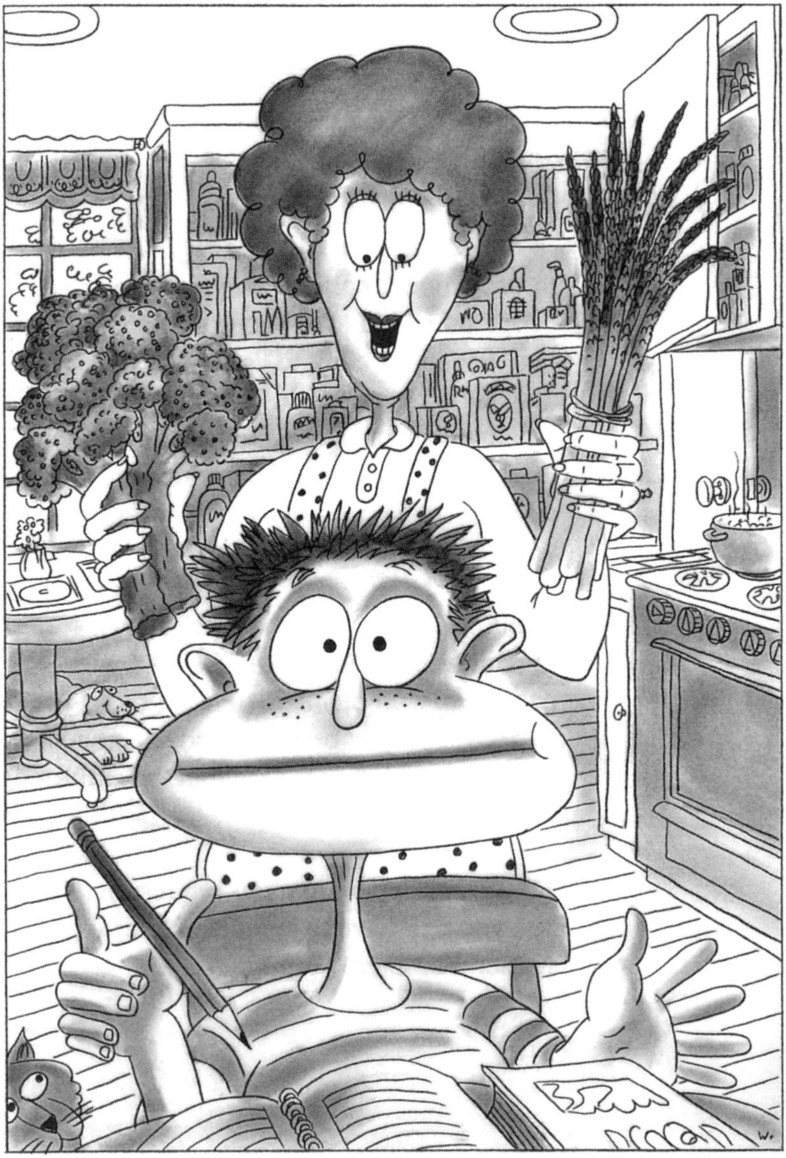

14　選択させること

　選択とは，2つ以上の可能性のあるやり方を提案することです。子どもはそのうちの一つを選ばなければなりません。**選択させる**ことは，なにかを命令するよりも，やり取りを自由にします。命令には子どもは必ず従わなければいけませんが，選択はさほど強制された感じを与えません。2つか3つの選択肢を与えることで，日常生活のなかの自分が決めるゆとりを，ほんの少し子どもたちに与えてみませんか？　以下にいくつかの例があります。

　あなたは子どもが寝るためにパジャマに着替えてほしいと思っています。
　　「ピンクのパジャマとしましまのパジャマのどっちにするの？」
　　意図していることは……「パジャマに着替える時間だよ。」

　子どもにごみばこを空にしてほしいと思っています。
　　「ごみばこのごみを捨ててきてちょうだい。今すぐか，ご飯のあとか，どっちにする？」
　　意図していることは……「今朝は，ごみばこを空にしなければならないんだよ。」

子どもが学校へいくので，靴をはいてほしいと思っています。
「靴，一人ではきたい？　それとも手伝ってほしい？」
意図していることは……「靴をはかなければならないんだよ」

　たいていの子どもは，要求に従うにしても決定の権利を与えられればいい感じがします。子どもが選んだら，"ありがとう"とか"そっちを選んで，正解だね"と簡潔にほめましょう。
　子どもが**第3の可能性**を提案するかもしれません。もしそれが実行できるものなら，それでいきましょう。もしそれがいい代案でないとしたら，くりかえしあなたの選択を提案します。
　子どもが「どっちもやりたくない」と答えてあなたにはむかうかもしれません。もしそうしたら，簡潔に選択をくりかえすべきでしょう。それでも選択しなかったら，あなたはこう言いましょう。「じゃあ，あなたのためにわたしが選びます」と冷静に平常心で言いましょう。そして最終的に同意に至ったらほめましょう。たとえばこんなふうにです。

　　父：今夜はちょっと寒いね。セーターかジャケットを着たら？
　　マット：どっちもいらない。
　　父：セーターかジャケットかどちらにする？
　　マット：どっちも着たくない。ぼくは寒くなんかないもの。
　　父：君が選べないなら，パパが選んであげよう。
　　マット：わかった，わかった。スウェットシャツはどう？
　　父：スウェットシャツがいいね，マット，ありがとう。

　格別に寒い夜なのでしょう。この例の父親はセーターかジャケットをどちらかを着ることを提案しています。
　意図していることは，「今夜は暖かいものを着なければならない」こと

ステップⅣ　協力をひきだしましょう

です。父親がマットに選択させようとすると、マットは抵抗します。マットの父親は次のようにしています。

1. 選択するようくりかえす。
2. 子どもに、パパが代わって選ぶよ、と伝える。
3. 息子が、実行可能な第3の選択肢を提案したので、それを受け入れた。

　子どもが何歳であっても、文句を言ったり、かんしゃくをおこしたなら、静かになるまで無視しましょう。そして選択を再度提案しましょう。もしこれが協力をもたらさないなら、ステップ5の**制限を設ける方法**を用います。

🍎 やってみましょう 🍎
選択肢を与えましょう

● **子どもにしてほしい行動をきめます。**
　なにをしなければいけないか命じるのではなく、子どもに選択肢を与えます。この提案のうらには、子どもがそのどちらかを選ばなくてはならないという意図があることを忘れないでください。

　もしも子どもが別の選択肢を提案して、それがあなたにとって受け入れられるものであれば、それを選ばせるのもよいで

しょう。もしも子どもが選ぶのを拒否したら，あなたは子どもに代わって選ぶと伝え，それを実行します。

　冷静でいましょう。子どもがイヤミを言ったり，とやかく文句を言ったり，議論してきたりして，話題をそらすようなら，提案をくりかえしましょう。

子どもが選び，それを行ったときは，ほめます。

● ここで学んだこと ●

☆ 子どもに課題をしてほしいと思ったら，2つの選択肢を提案します。子どもが選んだらほめます。子どもから実行可能な3番目の提案があればそれを受け入れます。

☆選択を提案することのうらには，子どもは協力するために選ばなければならないという意図があります。子どもが選び，課題をしたら，忘れずにほめるようにしましょう。

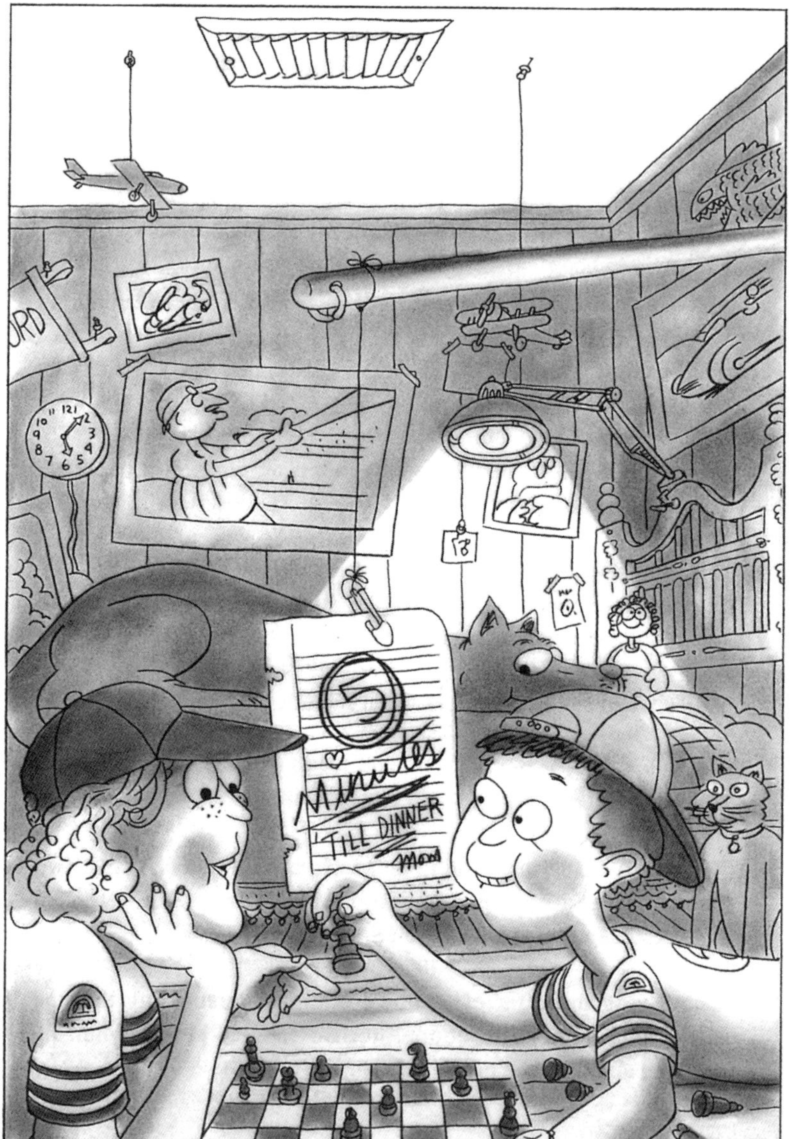
5
Minutes
TILL DINNER
Mom

15　予　告

　予告は，やがてなにかを命じられることになる，だから今していることをやめて他のことをしなければならない，そのことを子どもに知らせるための声明のようなものです。
　だれも突然やめさせられることが好きな人はいません。子どもは遊んでいるときに，「遊びをやめて，夕ごはんだからうちに入りなさい」と言われるのが嫌いです。しかし，予告することによって，子どもは行動を切り替える準備ができます。また遊ぶ時間がまだ少しのこっているので子どもはほっとし，数分後にその指示がくりかえされるときにずっと受け入れやすくなっています。

《例》
　　父：「あと3回くらいすべったらおうちに帰らなければならないよ。」
　　（3回すべったあと）「デヴィット，もう行く時間だよ。」

　　母：「スージー，5分たったら，ランドセルの支度しないとね。」
　　（5分後）「スージー，支度する時間よ。」

　もしも子どもが「はい，ママ」と言ったら上出来です。「はい」はひと

つの同意です。裁判で異議なしと同意すれば，それをひるがえすことはできません。彼らの目がテレビやビデオやゲームの画面に注がれたままであったとしても，とにかくその返事を歓迎し，「ありがとう」と言いましょう。

　子どもがしていることを中断させなければならないときは予告します。ときには，抵抗や抗議にあうかもしれません。しかし，子どもに準備させるほうが，ただ直ちに命じるよりも，ずっと協力を得やすいはずです。

```
　　　　　　　♥　やってみましょう　♥
　　　　　　　　　予告しましょう
```

● あなたが子どもにしてほしい行動を決めます。

　その行動をしなくてはいけないときまで待たずに，5分，10分，最大15分前に，子どもに予告を与えるようにしましょう。
　5歳以下の子どもには「あと3回よ……」と回数で言いましょう。

時間がきたら，その行動を命じてやりとげさせましょう。

《例》
　あなたはサリーをお風呂に入れる時間なので，外遊びから

戻ってほしいと思っています。
あなたは戸口にいって,「15分したらお風呂に入る時間よ」
　　と声をかけます。

15分後:「さあ,お風呂の時間よ」

子どもの部屋が散らかっていて,子どもはテレビを見ています。
あなたは言います。「マイケルあと10分したら,テレビを消して,部屋をきれいにする時間よ」

10分後:「マイケル,さあ,おそうじの時間よ」

子どもたちにお手伝いをしてほしいと思っていますが,子どもたちはトランプで遊んでいます。
あなたは「このゲームが終わったら,お手伝いの時間よ」と知らせます。

数分後:「さあ,ゲームは終わったわ,お手伝いの時間です」と知らせます。

　もし子どもが**予告と命令（言いつけ）の組み合わせ**に応じないならば,ステップ5の制限を設ける方法を用いましょう。

●ここで学んだこと●

☆予告は，もうすぐ今していることをやめて，他のことをしなければならないことを知らせるための声明です。

☆子どもの遊びをやめさせる必要がある時間の5分，10分あるいは15分前に予告をしましょう。時間がきたら，そのやるべきことをするように声をかけます。

☆子どもが従ったらほめます。

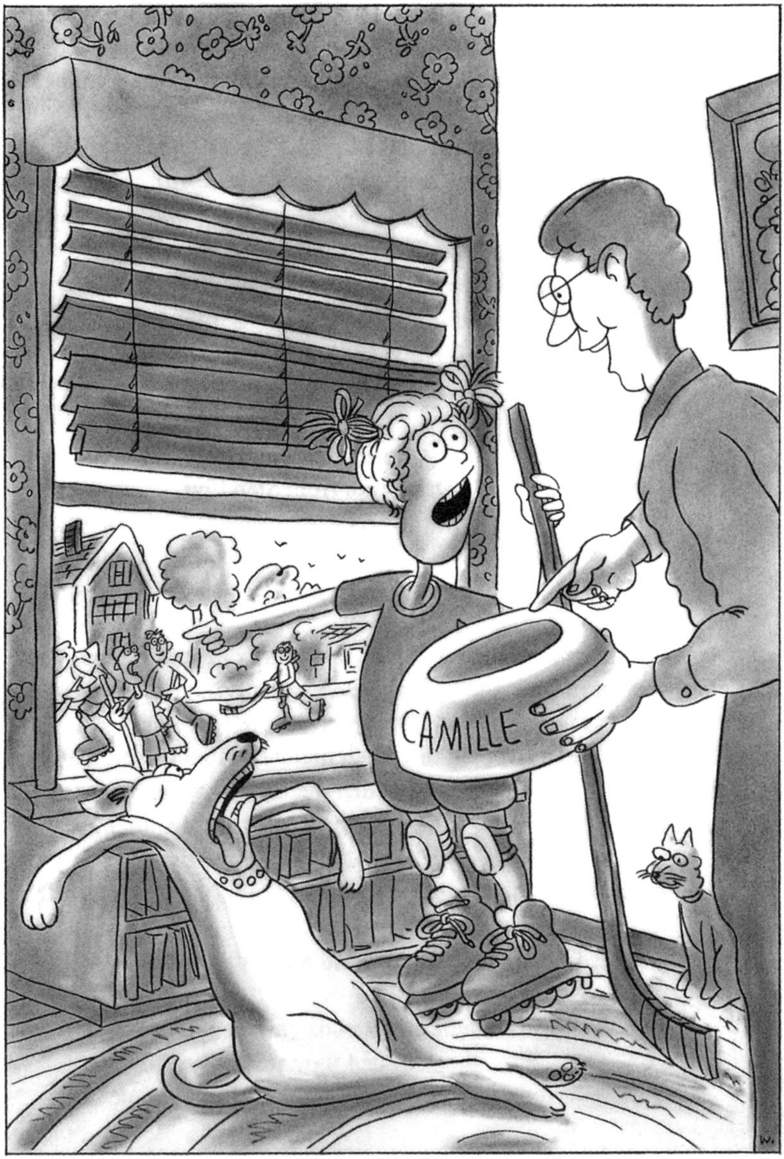
CAMILLE

16 したら／してよい
という取り引き

　「～したら、～できる」という取り引き（以下、したら／してよいという取り引き）は，行動あるいは課題をする代わりに**特典**を与えるという合意です。これは子どもに協力させるうえで，もめごとが少ないやり方です。
　なぜならば，子どもたちは見返りに**特典**を手に入れるからです。課題をするかしないかは子ども次第ですから，あなたががみがみ言うべきではありません。もし子どもがやりたくないとか，午後にずっと課題をやり続けることになったとしても，それは子どもが背負うべきことです。子どもがこの取り引きをしないときの結末はただひとつ，ひきかえの特典を失うことです。

　特典とは，特別な機会とか品物で，子どもが好きでしかも親も喜んで与えられるものを指します。あなたにとっても子どもにとっても，交換条件として適正な品物や機会でなければなりません。どのくらい取り引きがうまくいくかは，子どもにとってその機会や品物がどのくらい重要かにかかっています。たとえば，小さな子にとって，あなたの買い物につき合う代わりに，おもちゃを買ってもらえるとしたら，それはとてもわくわくすることでしょう。以下のような交換条件が可能でしょう。

洋服を着たら，テレビを見ていい
靴下と靴をはいたら，外に行って遊んでいい
普通の声でお話ししたら，聞きましょう
妹となかよくゲームができるのなら，また遊んでいい
車でじっと座っていられたら，公園まで乗せていってあげる
宿題をやってしまったら，図書館へ連れて行ってあげる

　子どもが特典を要求するとき，あるいはあなたが子どもに課題をさせるのに励ましがほしいとき，この**したら／してよいという取り引き**を使いましょう。

　次は子どもの要望に応える例です。
　　ジニー：「パパ，自転車に乗っていい？」
　　父　　：「もちろんいいよ，ジニー，出しっぱなしのパズルをかたづけたら，自転車に乗っていいよ。」

　親が切り出す例では…
　　母　　：「お部屋をきれいにしたら，お友だちにきてもらってもいいわ。」

　したら／してよいという取り引きで，もめごとが起きないようにするには，あなたは冷静でいなければなりませんし，脇道にそれたりぐずぐずしてもそれは無視し，子どもが課題にとりかかったらほめなければなりません。また，特典となるもの（お菓子とかお金とか）あるいは機会（ピクニックや，図書館，ビデオ店に行くなど）が必ず子どもの手に入るようにしていなければなりません。しかし，特典は必ずしもごほうびでなくてもよいのです。単に子どもがこれからやりたいと思っている活動でもよいでしょう。

子どもはいやと言うかもしれませんし，自分のペースで，たとえばかたつむりのようにのろのろと課題をするかもしれません，あるいは取り引きに見合うほどやらないかもしれません。この方法をはじめるときには，あなたがそれほど本気にならなくてもすむような課題で試みましょう。そうすれば，本当にたいしたことではないので穏やかな気持ちでいられ，子どもは取り引きをやめてもいいといった自由さを感じられるでしょう。

> 🎩 **やってみましょう** 🎩
> **したら／してよいという取り引きを話しあいましょう**

　子どもがなにかしたいことがあってあなたのところへやってきて――そしてあなたは，お手伝い，お使い，頼み事のような子どもにやってほしいと思っていること（あるいはがみがみ言いたいこと）があるとき――子どもがしてほしいことをしたら要求をかなえるという，**したら／してよいという取り引き**を交渉しましょう。

　あるいは，あなたは子どもにしてほしいことがあり，その交換としてなにか**特典**を与えることができるとき，～したら／～できるという取り引きを交渉しましょう。

　感情を交えず，おだやかにやりましょう。もしも抵抗があれば簡潔に，「それはあなた次第よ。どう決めようと，あなたの

好きにしていいわ」と言いましょう。もし子どもが取り引きを拒み，しかしその課題をいずれはやらせなければならないならば，そのときはステップ5の方法を使いましょう。

　それと，子どもが得ることになった特典はすぐ手に入るようにしておきましょう。

●ここで学んだこと●

☆したら／してよいという取り引きは，行動や課題の交換条件として特典が与えられるという合意です。

☆子どもが特典になりそうなことを要求したときや，やるべきことを子どもがしたときに，子どもの励みになるものを与えたいなら，したら／してよいという取り引きの話しあいができます。

☆課題をしなかったときの結果はただ一つ，特典を失うだけです。子どもが取り引きに見合うことをしたならば，必ずごほうびを与えましょう。

SARAH'S CHART

3:15
Dentist
SARAH'S CHART
OUT OF BED
DRESSED & EAT
TEETH

17　よりよい行動の　ためのチャート(BBC)

　よりよい行動のためのチャート（Better Behevior Chart; 略してBBC）とは，朝の時間とか寝る時間といった毎日の特別の時間帯で，特定の行動をふやす，あるいは減らすのに役立てるためのものです。それは，あなたが子どもにしてほしいと思い，また子どもがもっとするようになってほしいと思う行動を5つか6つ選び，それをリストにして壁などに貼っておく記録表です。この表は3歳半から12歳の子どもにうまくゆくものです。子どもに協力する気にさせるのに役立ち，2－3週間内には，それまでのめちゃくちゃな暮らしが新しい日常の決まりによって平静なものに変わります。

　よりよい行動のためのチャート（BBC）は次のようにして実行します。

1. あなたが子どもに日頃してほしいと思う行動を選ぶ。
2. 子どもを観察し，10日間の「試験的な記録表」をつけます。子どもがうまくやっている回数をしらべます。その記録表が，子どもに適切であると判断したら，正式の記録表（よりよい行動のためのチャート）に進みます。
3. あなたはチャートに行動を書き入れ，イラストを入れたり色をつけたりします。それから家族での話しあいの機会をもって，

チャートを子どもに見せます。
4. そのチャートを子どもが望むところに貼り出します。そのことばや絵は，子どもに課題を思い出させるので，あなたはがみがみ言わなくてもすむようになります（ほんとうにありがたいことですね！）。
5. 子どもがその行動をしたときには，すぐに星印，ニコニコマークの印をつけたり，シールを貼りましょう。
6. 毎日，一日の終わりには，子どもといっしょに印を数え，子どもがその日にやれた事柄をほめましょう。週末には，子どもに特典あるいは高くないおもちゃを与えましょう
7. うまくいかなかったことは重視せず，子どもがやれたすばらしい行為にだけ着目するようにします。
8. 間もなく子どもはあなたのしてほしい行動を，子どもからすすんで，ときには熱心にするようになるでしょう。
9. このチャートが成功するのは，否定的なことがいっさいないからです。小言を言ったり，罰したり，脅したりは全くしません。きちんと認め，大いにほめましょう。

4歳児のためのチャートは，大体，次のページのようなものでしょう。

チャートの行動をどのように選ぶか
1. あなたの家族にとって，とくに大変混乱しやすい時間帯を一日のなかから選びます。多くの家族は登校前の忙しい時間か，学校から帰って宿題やお手伝いをする時間，あるいはいつも疲れきっている寝る前の時間を選びます。
2. その時間に子どもがすすんで（1週間を通じて4―5回）する行動を3つ選びます。
3. その時間に，ときおり（週に2―3回）する行動を2つ選びます。

4歳の子どもの夜寝る前のチャート

行　　動	月	火	水	木	金
ママが手伝って6時30分までにお風呂に入る					
2回の指示で，ママが手伝ってお風呂から出る					
自分ひとりで7時までにパジャマを着ている					
パパが手伝って7時10分までに歯みがきをする					
7時25分まで，ベッドでお話					
7時30分までに灯を消す（常夜灯は除く）					

4．あなたの子どもがしたりしなかったりする，まれに（週に1回程度）しかしない行動を1つ選びます。

以下では，10歳の子どもの朝のチャートの例をあげてみましょう。

子どもが喜んでする3つの行動
　ベッドから起きだす
　ランドセルの準備をする
　ペットにえさと水をあげる

17　よりよい行動のためのチャート（BBC）

ときどきしている2つの行動
　朝食の前に着替えが終わっている
　8時4分には家をでる準備ができている
たまにする1つの行動
　顔を洗う，歯をみがく，手洗い（爪をきれいにすることをふくむ）

　6つの行動を時間の流れにそって並べ替えましょう。子どもがすすんでしている行動が，これからやらせようとする行動の間にくるように，交互に組み込めるといいでしょう。容易な行動によってほめられると，よりむずかしい行動に対しても協力的な態度がとれるようになるものです。

　先ほどの例では，次のようになるでしょう。
　　ベッドから起きる ── 6時50分までに
　　朝食の前に全部着替える ── 7時5分までに
　　ペットにえさと水をやる ── 7時35分までに
　　ランドセルの用意 ── 7時45分までに
　　顔を洗う，歯をみがく，手洗い
　　　（爪をきれいにするをふくむ）── 8時までに
　　ドアの外に出る　8時4分までに

　チャートの項目を並べるときには，いつものスケジュールに従ってそのまま機械的に並べてはいけません。考え方に工夫を加えましょう。子どもの協力の度合いがあがるように課題の順番を工夫します。

　この例では，子どもはランドセルの支度を喜んでします。その支度ができたときにちょっとほめることができるので，「顔を洗う，歯をみがく，爪を清潔に」という，よりむずかしい項目の前に，「ランドセルの支度」

を並べます。子どもは，カバンの準備をしてほめられたあとなら，子どもが大嫌いな清潔にするということに協力しやすくなるでしょう。

　あなたの子どもはなにか手助けが必要ですか？　もしそうだったら，どのくらい助けが必要か，また誰が助けるかを表に記入しましょう。たとえば，幼児だったら"パパの手助けで歯をみがく"という項目になるでしょう。
　あなたの子どもにやるべきことを思い出させるために1回か2回ことばかけが必要でしょうか？　子どもの年齢相応で，子どもに期待してもよいことは何でしょうか？　チャートの項目は，「2回，声をかけてもらって，ベッドから起きる。6時50分までに」となります。その行動が終わっていなければならない時間を，末尾に記入しましょう。

　それぞれの項目には，完了する時間と手助けの程度や思い出させるための声かけの回数が記入されていることに注意してください。また，より困難な行動の前後に，たやすくできる行動が並べられているのがわかると思います。

　チャートの空白部分にあなたが選び出した6つの項目を書き入れましょう。10歳の子どもであれば，次のページのチャートのようになるでしょう。

　「他の行動はどうすればいいのですか？　まれにしかしない行動はチャートに1つしかのせられないのでしょうか？」という疑問が生じると思います。

　そうしている理由は3つあります。まず第1に，項目は子どもにとって有利なように選ばれています。つまり必ず成功するように，チャートは子

17　よりよい行動のためのチャート（BBC）

10歳の子どもの朝のチャート

行　　動	月	火	水	木	金
起床 6時50分までに					
着替えを済ませ朝食 7時5分までに					
犬と猫にえさと水をやる 7時35分までに					
ランドセルの支度（その他サインが必要なもの） 7時45分までに					
洗面・歯磨き・手洗い（爪も！）を終了 8時までに					
言われなくても，出かける 8時4分までに					
目　標	ごほうびの日		1週間の合計		

どもにとってかなりやりやすいものになっています。第2は，選んだ時間帯を通して，子どもがやる気になり協力的になる雰囲気がうまれることをこのチャートは狙っています。とにかく子どもにとっておもしろいことが肝心です！　それによって，チャートの項目以外の行動もいっしょによくなっていきます。第3に，週ごとに，子どもが簡単にできる行動を新しい行動に入れ替えてもいいのです。

試験的な記録表をつけること

　ひそかに記録を試みることによって，子どもは必ずうまくやれるようになります。記録の試験期間は，子どもにチャートについて知らせず，それぞれの行動の回数を数えます。私の実践では，正式な記録に入る前に，2週間ぐらい（普通は平日だけ）は子どもを観察するよう親にお願いしています。週末をふくまないで10日は記録することをぜひやってください。

　もしも子どもがその行動をしたら「＋」印を欄に書き入れます。もしもその行動をしそこなったら「0」印を書き入れます。項目のことは口にしてはいけませんが，少しでも子どもがうまくやれたらほめることを続けてください。指示を守らないときには，許すことができないような状況でない限り，無視するか，関心をほとんど示さないようにしましょう（許すことができないほどになるならば，ステップ5の制限を設ける方法を使います）。

　1週間の終わりに，子どもの成功率，つまり，子どもが成しとげた行動の割合を算出します。たとえば，6項目で5日間のチャートの場合，全て成功したなら30個の＋印がつくはずです。もしも子どもの得点が15点（50％）未満なら，そのチャートはむずかしすぎます。もっとやさしい項目に変えましょう。少なくとも全項目の50％の達成が確実になるまで，何度でも試験的記録をやり直しましょう。

　もしも成功率が80％を超えていたら（つまり24回以上うまくできたら），このチャートはやさしすぎます。今すぐにあるいは1，2週間後にでも，ひとつの項目をもっとむずかしいものに代えるのがよいでしょう。

　もしも子どもの成功率が90％（27回）以上であるなら，もっとむずかしい行動を2つ以上選ぶ必要があります。あるいは，そんなにできるのならチャートは必要ないかもしれません。必要だったのは，朝の時間と夕方の

時間の間に考えること，そしてあなたがなにを子どもにしてほしいと思っていたかを明らかにすることだったといえます。あなたが頼んだことをしたときは，もうすこし子どもをほめてあげてください。しかし，とくべつに気をひくようなごほうびを用意する必要はありません。

正式の記録へ

子どもといっしょにすわり，6つの行動（文字で書いたり，絵にしたり）がある**よりよい行動のためのチャート**（BBC）を紹介しましょう。ものごとがよりスムースに運ぶのに役立つように表を作ったこと，それぞれの時間にこれらの行動の1つをするごとにあなたが空欄に星印を書き込むことを伝えましょう。やらなかったとしても，その行動の欄はブランクのままにすることを伝えましょう。また，一日の終わりに子どもといっしょに獲得した星印を数えることを説明しましょう。

星印を描くよりも，シールやスタンプやニコニコマークや星型の銀紙とかチェックマークを使ってもよいでしょう。チャートの欄にどんな印を入れたいか，子どもに聞いてみましょう。

チャートを貼る場所を子どもに選ばせましょう。冷蔵庫が人気があります。家族の動線の中心にあり，だれもが気づくところだからです。年長の子どもがチャートをあなたとふたりだけの内緒にしておきたいと希望するなら，自分の部屋に貼るとか，子どものドレッサーのかげにでも貼りましょう。このチャートを励ましのために用いますが，気にしすぎて親が小言をいうきっかけにならないようにしましょう。

子どもがうまくやったらほめ，星印かシールをすぐにつけましょう。あ

なたはこう言うのがいいでしょう。「よくできたね。ほら，朝私が呼んだときにすぐに起きてきた分のシールよ。やったね！　自分でシールをチャートに貼りたい？」

　もしも子どもがうまくやれないときは，できればそしらぬふりをします。しかし，課題によっては子どもに確実にやらせなければならず，そうしないとあなたは朝，家から出かけられないこともあります。必要ならばステップ5の方法を使いましょう。よりよい行動のためのチャートのような優しい指示では十分ではないからです。そのときには欄にはなにもつけません。

　もしもある項目ができず，子どもががっかりして（獲得できなかったシールをせがんだりして），あなたにその気持ちを知ってもらいたがっているようなら，単に「明日もまたチャンスがあるわ」と言いましょう。子どもの注意を，自分がうまく行っている事柄に，向けなおさせるようにしましょう。

ごほうびを与える

　一日の終わりに子どもといっしょにすわって，獲得した星印を数えましょう。学童期やもっと年上の子どもの多くは，ごほうびとしてシールとほめるだけで充分でしょう。「よくやったね！　今日は3つもシールがついたね！」と言ってほめましょう。このニュースを家族の他のおとなたちにもしらせましょう。子どもに，おばさんや祖父母に電話をかけさせましょう。

　子どもが成功するたびに，ポーカーチップのようなトークンを与えてもよいでしょう。**トークン**とは，たとえば土曜日などに，なんらかの特典や

ちょっとしたおもちゃに換えることができるお金の代わりになるものです。毎週のごほうびとして，お金がかからないか，安価であるように，次のようなものを含めるとよいでしょう。

　　　図書館へ行く（図書館が主催する読み聞かせや映画の時間）
　　　ビデオを借りる
　　　裏庭でピクニック
　　　公園へ出かける
　　　友だちの家にお泊まり
　　　ハイキング
　　　ひとりの友だちかそれ以上の友だちと特別なことをする。たとえば大
　　　　がかりな工作をやるとか，段ボールの家を作るとか。
　　　クッキーを焼く

　ごほうびを高価にするのはあまりよい考えではありません。おもちゃが高価すぎて，何日もそしてたくさんの成功を必要とすると，子どもはやる気をなくしてしまいます。ある親は，自分の子どもが値段よりも，なにがもらえるかどきどきするほうが好きだとわかって，高価でない物をいくつか選び，きれいな紙に包んで，その中から１つを子どもに選ばせています。

これってワイロ？

　多くの親は，自分たちが実際は子どもを買収していて，これは子どもたちにとって有害なのではないかと心配します。いずれにしても，子どもたち自身は，トークンやシールやお菓子のために手伝いや行動をしていると考えているかもしれません。ところが実際には，**子どもたちは人と人の関**

係によってその行動を強められているのです。つまりトークンをもらうときに，あなたがほめること，それがしてもらいたくて手伝いやその行動をしているのです。

　ある母親がチャートやごほうびに効きめがなくなったと言って相談にやってきたことがあります。そのとき，私はその母親がどうやっているかをたずねて，大切なのはほめることで，ごほうび自体はそれほど重要ではないことを知りました。エリーは第1週には星印をすべて獲得しましたが，次週にはできませんでした。そこで，私は，お母さんにたずねました。「あなたは子どもにシールを与えるとき，なんとおっしゃいましたか？」彼女の答えは「はいシールよ」でした。

　ほめことばと励ましが抜けていました。笑顔がなく，目を合わせることもほとんどなく，子どもの努力を認めていませんでした。この母親がシールとともにほめることをもう一度やりなおしたところ，よりよい行動ためのチャートはとてもうまくいきはじめました。

　もしも，あなたの子どもがお金やお菓子を目当てに，課題や頼み事をしているならば，シール以外のそのような物質的なごほうびを与えるという考えを取り入れてはいけません。子どもというものは，物質的な物よりも関わりによる報酬をより必要としているのです。あなたのことばとしぐさ，声の調子や表情によるごほうびだけを用いましょう。

　このよりよい行動のためのチャートは際限なく用いてはいけません。実際，3，4週間もすると，子どもはそれほど言わなくても，あるいはほめる以外にごほうびを用いなくても，行動を実行するようになるものです。行動が習慣となったのです。親は必要に応じてこのチャートを取り下げて

もよいでしょう。しかし，休みの期間や家族に病気の人がいたりしてストレスが高いときやその直後に，よりよい行動のためのチャートは時間の管理方法の一種，あるいは有効なほめるということを思い出させる方法として役立ちます。あるいは，あなたやあなたの子どもが望むならば，毎週，行動のひとつを新しくしてこのチャートを続けるのもよいでしょう。いつもやりやすい行動と努力を要する行動のバランスをとりましょう。

　きょうだいについて一言。
　子どもはたいていこのチャートが好きです。だからもしもきょうだいがやっていたら，他の子もしたいと言うでしょう。たくさんでやれば，もっと楽しくなります。が，課題が現実に即しているか，年齢相応であるか，ごほうびと努力のつり合いはどうかを確かめてください。

● ここで学んだこと ●

☆よりよい行動のためのチャートは目に見えるところに貼られた記録です。その記録によって，子どもはがみがみ言われずに楽しく課題を思い出します。あなたにとってその記録は，子どもが課題をしたその日に，ほめ続けることを思い出させます。

☆よりよい行動のためのチャートは，いそがしい朝・昼・夕の時間帯に，子どもの協力と家族のよりよい関わりをひきだすために活用することができます。

☆よりよい行動のためのチャートの効果があるのは次のような理由からです；
1. 子どもが最後までやりとげられる行動を選んでいる。
2. うまくやれるために，どれくらいの手助けや思い出させるための声かけが必要かを判断することができる。
3. チャートにはいくつかの行動を並べる。そのため，簡単な行動をほめることによって，よりむずかしい行動に協力しようという気を起こさせる。
4. あなたはほめることと励ますことで，子どもにごほうびを与えるが，子どもがやろうとしないことに対しては応じない（無視する）。

「よりよい行動のためのチャート」を作るために…
①試みの記録をつける
②項目を選ぶ。6つ以下がもっともよい
③時間の流れに従って並べる。またうまくやれることが積み重なるようにする。
④チャートに思い出させるための指示の回数・必要な手助け・課題をやり終える時間を書き加える。

⑤10日間行動を観察し記録する。
⑥子どもが15の星印（1週間で50％，またはそれ以上）を獲得したならば実行

正式の記録にうつりましょう…
◇子どもと一緒にすわり，行動チャートを紹介する。
◇このチャートは，特定の時間帯（たとえば朝）に，もっとことがスムーズに運ぶための助けになるだろうと話す。
◇子どもが1つの行動をするたびに，あなたがその欄に星印をつけると話す。もししなくてもチャートのその欄にはなにもつけない。
◇一日の終わりに子どもが獲得した星印を数えることを説明する。
◇チャートを貼る場所を子どもに選ばせる。
◇子どもが課題を最後までやりとげたときには必ずシールを貼り，ほめる。
◇年長の子どもには，土曜日に特典と交換できるトークンを与える。
◇一日の終わりに子どもと一緒に獲得したシールを数える。
◇その結果を，家族のほかのおとなにも知らせる。

チャートへの協力を促すために…

☆子どもがうまくやれたときは，すぐさま肯定的な注目をします。
　もしも子どもが時間内にしなかったときには無視が一番よい方法です（必要な場合には，ステップ5の制限を設けることを用います。チャートのその欄にはなにも書きません）。

☆もしあなたの子どもが星印をもらえなくてがっかりしていたら，「明日またチャンスがあるわよ」とだけ言いましょう。

☆子どもの注意をすでに達成している数々の成功に向けなおさせましょう。

☆たくさんほめ，場合によっては週末のごほうびを用いて，最後までやり通しましょう。

ステップ **V**

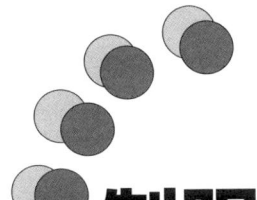

制限を設けるには

あなたは親です。
子どもは気づいていないかもしれないけれど
必要としひそかに望んでいる制限を与えるのは
あなたの仕事です。
子どもは，世界が安全であると感じるために
父親や母親が確固たる存在であることを
知る必要があります。
だからあなたには，まちがった行動に制限を加え
監督する権利だけではなく，責任があるのです。
このセッションでは許し難い行動をやめさせるた
めに制限を設けるときのテクニックを学びます。
許し難い行動を減らすために，すでに学んできた
ことをいかに応用するかを理解します。
そして**指示，ブロークンレコード・テクニック
警告と結果としての罰（罰や報酬）
タイムアウト，家族会議，公の場でいかに制限を
設けるか**，について学びます。
これらのことは子どもの許し難い行動に対して
あなたが一貫した適切な対応をするのを助け
より協力的な家庭の雰囲気をつくるのに
役立つでしょう。

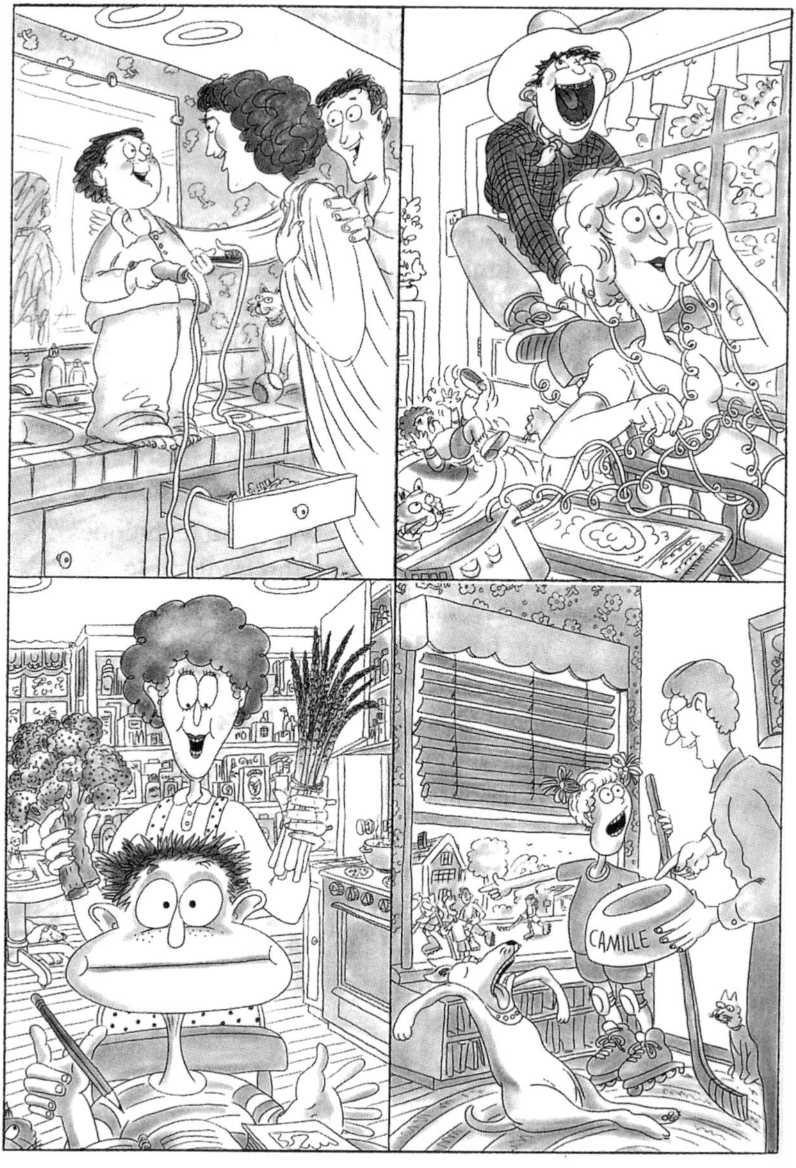
CAMILLE

18　知っている道具を使うこと

　一日中，あれしろ，これしろと怒鳴っているのは楽しいことではありません。しかし，現実をみると，私たちはいつも演習中の軍曹のように叫んでいませんか？　他の方法はありませんか？　悪者にならないためには，なんでも許すのがいいのでしょうが，甘え過ぎる子どもや，思い通りに人を動かそうとする子や，自分で物事が決められない子どもにするかもしれません。もし，子どもが一日中ベッドに寝ていたり，日中もパジャマを着ていたり，学校に遅刻したり（そのためにあなたも職場に遅れてしまう），深夜まで起きていてほしくないならば，あなたは子どもの行動に制限を加えなければなりません。さあ，すでに知っているやり方で，**許し難い行動**を除くことからはじめてみましょう。

　あなたは，行動をみて，それがしてほしい行動なのか，してほしくない行動なのか，許し難い行動なのかを決めることを学んできました。

　あなたは肯定的な注目を与える—ほめる—ことで，してほしい行動をふやすことを学んできました。

　注目を取り去る—無視する—ことで，してほしくない行動を減らすこと

を学んできました。

　命令して要求するよりも，予告すること，選択肢を与えること，したら／してよいという取り引き，といった方法をつかって，協力をひきだすことを学んできました。

　よりよい行動のためのチャートをつかって，面倒なお手伝いにも，一日のストレスフルな時間帯にも，より協力的な雰囲気をつくり出すことを学んできました。

　これから行動に制限を加えるための方法を紹介しますが，その前に，ステップ1，2，3，4で学んだことと方法を用いるのがどんなに大切かを思い出してください。あなたは「この子の行動は，どれも許し難いものばかり！　しつける方法が必要なの！」と思うかもしれません。しかし，私があなたにぜひ伝えておきたいことは，**ほめること，無視することを習得しないで行動を制限する方法をつかってはならない**ということです。それはなぜでしょうか？

1．ほめることを学ばずに罰を与えたならば，子どもの行動はますます悪くなります。子どもというのは，肯定的な注目を得る方法がわからないと，叱られてでも注目を得ようとするのです。協力することでほめられるという方法を子どもに教えなければ，子どもは否定的な注目（罰）を得るために，まちがった行動を続けるでしょう。

　ほめることが習慣になった家庭では，家族は上手なやりとりができるようになります。みんながお互いに相手のことが好きになり，お互いの関係が楽しいものになります。こういった雰囲気のなかでは，それだけで，か

ステップⅤ　制限を設けるには

なりのまちがった行動が減るものです。ほめることで，罰を与えなくてすむことが大事なのです。

　子どもがまちがった行動をしても，おしまいには協力的な態度をみせたときには，それを喜び，ほめなければなりません。タイムアウト〈→187ページ参照〉や自分がした行為に責任を取らせるなどの罰を与えた後に，子どもが許し難い行動をやめ，してほしい行動をしはじめたら，子どもが家族の中に戻れるようなチャンスを与えましょう。
　いつまでも腹を立てていたり，冷たい沈黙を続けることは，なんの意味もありません。ルールを破って両親を怒らせたとしても，この世の終わりではないことを，子どもに教える必要があります。親にまたほめられたり励まされるにはどうしたらよいのかを教える必要があります。親はその準備をしておかなければなりません。

　家族会議や指示といった，多くの**制限を設ける**（子どもの行動に制限を加える）テクニックは，効果のあるほめかたが必要とされます。それなくしてはうまくいかないのです。制限を設けることを試みる前に，ほめることが積極的にできなけばなりません。

2.　また，制限を設けることを試みる前に，無視ができることも必要です。無視は，望ましくない行動を減らすための効果的な道具です。無視することによって望ましくない行動は，ときに，素早く，またすっかりなくなることもあります。他の方法に訴える前に，必ず，無視とほめることの組合せをやってみるべきです。

　無視は，多くの場合，制限を設けるという方法の本質の部分でもあります。子どもが罰について反論したり，指示に不平を言ったり，家族会議の

18　知っている道具を使うこと

最中に問題をはぐらかすような態度をとったり，タイムアウトにかんしゃくをおこしたりしたときは，無視しなければなりません。無視ができなかったり，無視することに気がすすまないならば，制限を設ける試みは無駄になるでしょう。

3. 制限を設けるという方法はあまり使い過ぎないほうが効果的です。よく使いすぎることがあります。たとえば，毎日タイムアウトをしたり，一日に数回タイムアウトをしたら，すぐにその効能はうすれてしまうでしょう。してほしくない行動の大半を，ほめることや無視や協力をひきだす方法を使って減らしていくことで，制限を設けるという道具はそのパワーを発揮し効能が保たれるのです。

基 本

　許し難い行動に対して，これまで学んだ道具をどうやって応用するかをみてみましょう。

1. なにが許し難い行動かを決める。
2. 許し難い行動の反対の行動（つまり，してほしい行動）を決める。
3. してほしい行動へと正しくむかっているささいな歩みを待ち，それをほめる。
4. 許し難い行動のいらいらさせられ気に障る行為に注目をしない。無視して，関わり合わない，気をそらす，話題を変える，他のものに興味を示す。子どもが3歳以上ならば，子どもにその行動を無視すると告げる。

5. してほしくない行動をしたら，無視とほめることの組み合わせを使う。
6. 協力をひきだす方法のどれかを用いる。
   したら / してよいという取り引きと，選択肢を提案する。「○○したら」の「○○」は実際にできると思えることを提案する。一日のうちでもっともストレスの高い時間帯に協力を促すためには，よりよい行動のためのチャートを使う。

　上記のようにしても許し難い行動がなくならないならば，最後に次に示すような制限を設けるための道具を使いましょう。つまり，その道具とは，警告と結果としての罰〈→21章〉，ブロークン・レコード〈→20章〉，家族会議〈→23章〉，タイムアウト〈→22章〉です。

　きょうだいげんかでよくある問題を取り上げてみましょう。アレックスとジェニーはゲームで遊びはじめます，すぐに口げんかをはじめました。お互いに相手のずるさを責めあいます。そして，あげくのはてに，たたいたり，叫んだりしてしまいます。

応 用

　さて，彼らの両親が基本の道具をどのように用いるかを確かめてみましょう。

1. 許し難い行動がどれかを決める。

アレックスとジェニーのけんか，口論，叫んだりたたいたり。

2. 許し難い行動の反対はなにかを決める。——代わりにとってほしい行動はなにか？

　それを探すのはむずかしくはありません。たとえば，おもちゃを貸し合い，なかよくして，公平に遊び，勝っても自慢せず，負けてもかんしゃくをおこさず，一方がもう一方をたたいたときは殴り返す代わりに私のところに助けを求めに来る，こぶしの代わりにことばを使うこと，などです。

3. ごく小さなことでも正しい方向へ向かう動きを見つけ，それをほめる。

　それはけんかしないで5分くらいの間遊ぶことかもしれません。最初はふたりはかなりうまくやっています。そういうときはこんなふうに言えるでしょう。「ふたりともゲームが上手ね。感心するわ」

4. 許し難い行動が起きた状況で，いらいらする行動は無視すると告げる。

　大変かもしれませんが，少なくとも子どもたちがたたきあうまでは，口げんかは無視できるでしょう。そして，こう言いましょう。「あなたたちが言い争っても，お母さんはそれを聞かないことにします。自分たちで解決しなさい。」

5. たたくなどの，許し難い行動をひとりの子どもがはじめたら，無視とほめることの組み合わせを用いる。

　ジェニーがアレックスをたたき，アレックスがたたき返す代わりに，私を呼んだとしましょう。私はこう言います。「アレックス，よくたたき返さなかったわね。嬉しいわ。」そして，彼に，私の部屋で，ひ

とりで遊びたいか、それとも、妹から離れて外に行きたいかたずねます。たとえ、ジェニーにお説教したいと思ったとしても、こういうときはつねに彼女を無視します。

　アレックスが妹と遊び続けることを選んだときは、しばらく見守ります。そして、3分でもいっしょに遊んでいたらほめます。「2人ともなかよく遊べてるね。とってもいいね」というように。

6.　協力をひきだす。

したら／してよいという取り引きを使います。
　事態が手に負えなくなる前に、こう言います。「あなたたち2人がいっしょになかよく1時間半遊んだら、——それはちょっかいをだしたりしないでちょうどいい声の大きさでお話しすることよ——そうできたなら、テレビを1時間半みるか、テレビゲームを1時間半やっていいわよ」。これらはお金がいらない特典で、すぐに与えることができます。

選択肢を提案します。
　次のように言えます。「あなたたちが選ぶのよ、いっしょに遊ぶか、ひとりで遊ぶか。もしいっしょに遊ぶなら、たたいたり叫んだりしてはいけません。もしそうしたら、別々の場所で遊ばせます」。たとえば、ジェニーが外で遊ぶか、ジェニーが私の部屋を使い、アレックスが子ども部屋で遊ぶか。もし子どもたちがいっしょに遊ぶことを特典と思い、それを失いたくないと思ったら、いっしょにうまく遊ぼうとするでしょう。

よりよい行動のためのチャートを作ります。

一日のうちで，子どもがいっしょに遊ぶ時間帯を選ぶのがいいでしょう。たとえば，4時半から夕食の6時半までとしましょう。これまでの経験では，2人は口論やたたき合いのけんかをはじめるまで，時間にして20分か30分はいっしょに遊んでいられます。時間の間隔を30分ごとにわけてみましょう。その間なかよくすることができたら，そのつど必ずほめるというごほうびを与えましょう。子どもをチャートのところに呼んで，その欄にステッカーを貼らせるか，ニコニコマークを描いてあげましょう。その時間の枠内でなかよく遊べなかったら，その欄は空欄のままにしておきましょう。

　私のチャートの項目はこのようなものです：
4時半から5時までに1回の忠告で手出しをしない。
5時から5時半までに1回の忠告で手出しをしない。
5時半から6時までに1回の忠告で手出しをしない。
6時から6時半までに1回の忠告で手出しをしない。

　注：もし，アレックスとジェニーにとって，30分間はなかよく遊ぶには長すぎて，すぐに口げんかをはじめるならば，より短い時間に区切るべきでしょう。たとえば20分とか，10分とか，もしくは5分でもいいでしょう。

ステップV　制限を設けるには

●ここで学んだこと●

☆**制限を設ける**という，より強固な方法に訴える前に，まずすでに学んだ方法で**許し難い行動**がなくなるかどうかを確かめてみましょう。

  1. 許し難い行動がなにかを決める。
  2. 許し難い行動の反対——代わりにとってほしい行動を決める。
  3. たとえささやかなものでも正しい方向に向かっている子どもの動きを見つけ，それをほめる。
  4. いらいらさせる行動を無視すると伝える。
  5. 子どもが許し難い行動をはじめても，それが人を傷つけるものでないときは，無視とほめることの組み合わせを使う。
  6. 協力をひきだす方法を使う：したら／してよいという取り引きを使う。できるだけ早く，必ず特典を与える。どんなにささいなことでも協力が得られたらほめる。選択肢を提案する。よりよい行動のためのチャートを作る。

☆もし上記のアプローチが許し難い行動を取り除くのに効果がないときは，次を読みましょう。

18　知っている道具を使うこと

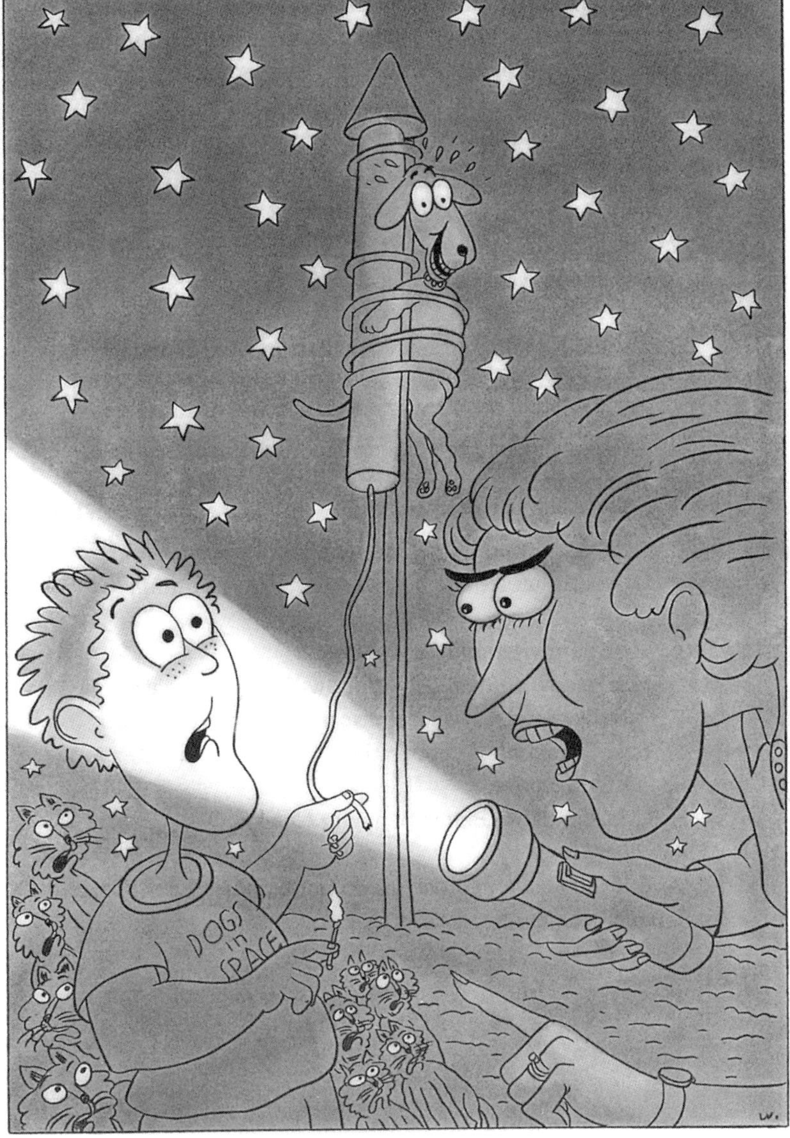
DOGS in SPACE

19　指　示

　最初のもっともシンプルな制限を設ける方法は**指示**を出すことです。指示の後に，ほんの少しでも指示したことをやろうとすれば，それをほめます。そうすれば指示を出すことで子どもにある行動をはじめたりやめたりさせることが十分できます。それほど指示は効果的です。

　　「弟といっしょにミニカーを使いなさい」（互いに貸したり借りたりしなさい）
　　「リスに石を投げるのをすぐやめなさい」（石を投げるのをやめなさい）

どうやって効果的な指示を出すか

目：視線をあわせましょう。子どもをあなたのところへ来させるか，あなたが子どものところに行きます。場合によっては，あなたを見るまで子どもの名前を呼び，振り向いたら，「ありがとう」と言って，それから指示を出しましょう（その「ありがとう」は子どもにとって意外で，はっとして子どもは思わず従うでしょう）。

ことば：子どもにやめてほしい，もしくはしてほしい行動をはっきりとこ

とばで伝えましょう。そのことで，子どもはあなたがなにを望んでいるのかを正確に知ることができます。
　　誤：「それをやめなさい！」
　　正：「はさみをテーブルの上に置きなさい」

一般に，**なにをしてほしくないかよりも，どうしてほしいかを明言する方がいい**でしょう。
　　まあ良い：そんなに乱暴に赤ちゃんをさわちゃだめ！
　　より適切：赤ちゃんを優しくさわってちょうだいね。

　やめさせたい行動を口にすることは，子どもに乱暴な行動を思い出させる危険性もあります。そのため子どもはその行動をまたやりたくなるかもしれません。そして，あなたの注目を得ることができて，その行動がくりかえされることになるでしょう。
　望ましい行動を明言すれば，子どもはなにをすべきかを正確に知ります。それは子どもにすぐに従うチャンスを与え，あなたは子どもをほめる機会を得ることができます。
　指示は**「〜してくれない？」というような疑問のかたちではなく，「〜しなさい」という普通の言い方で与えましょう**。「いや，やりたくない」と答えてもかまわないと思っていない限り，疑問のかたちで頼んではいけません。

やめましょう	こう言いましょう
もう寝る時間じゃない？	寝る時間よ。
お風呂に入りたくない？	今すぐお風呂に入りなさい。
晩ごはんたべたいでしょう？	晩ごはんよ。

声：声の調子は平静でしっかりとしていなければなりません。ただし怒り声はいけません。

　どんなに腹立たしくても，落ち着きをなくさないように努めましょう。怒っていることを子どもに気づかれてはいけないと言っているのではありません。見た目に，あなたが自分の気持ちを抑えることができていることが大切なのです。そうするほうが指示はより効果的になります。目標はあなたが頼んだことを子どもにさせることだというのを忘れないでください。子どもというのは，あなたがしっかりしていて平静でいるときに指示を受け入れ，それに従いやすいものなのです。

　次のことを試みてください。
　自分で，ある指示（寝なさい！）を怒って叫んでみてください。あなたに演技力があるならば，あらん限りの大声で腕をふりまわして叫んでみてください。
　次に，同じ指示をしっかりとした落ち着いた，普通の大きさの声で，怒りを示さずに，言ってみましょう。その違いはどうですか？　どちらが子どもにより効果的でしょうか？　もちろん，子どもをおびえさせる点においてではありません。あなたが真剣に寝なさいと言っているのだと子どもに伝えるという点においてです。しっかりした，しかし，平静な声の調子を使うことは，とてもパワーがあることがわかるでしょう。

　ただし，失敗したからといって眠れないほど気にしないでくださいね。たとえば，幼児がはさみをもって入ってくるといった危険な状況では，大声になり，叫んでしまいます。普段，それほど急を要しないことには平静な声で指示していれば，たまに大声で警告すると，それはより効果があがるものです。

現実的になりましょう。ときには，子どもが指示に従うまでに，１度か２度のことばかけや合図をだして思い出させなければなりません。思い出させるためのことばかけや合図は，平静な声で，目をみて，怒らずに実行しましょう。しかし，２回そうやっても，子どもが従わないと，小言を言いたくなるものです。あなたはがみがみ小言を言う必要はありません。そのときは直接，次のレベルの制限を設ける方法に進みましょう。

あなた自身が真剣になること

　指示を効果的にするために，あなたは本気でなければなりません。子どもはあなたが真剣だとわかると，より協力的になるものです。真剣に見えるには，気持ちがあいまいではいけません。あいまいでないということはときにはむずかしいものです。

　たとえば，子どもたちが外で遊んでいて，暗くなってきました。あなたは，「子どもたちは楽しそうだ。もう少し遊ばせてやりたいな」と思います。そう思いながらも，寝かせる時間があわただしくなることも考えています。また遊び疲れてみんなイライラすることもわかっています。
　そういう調子で部屋の中から子どもを呼んだとすると，あなたの指示である「さあ，家に入る時間よ」は真剣みに欠けたものになるでしょう。子どもはあなたのためらいを感じて，あなたを無視するでしょう。

　意を決して実行することが肝要です。本気で，ある行動をはじめてほしい，あるいはやめてほしいと思い，それから指示を出すのがベストです。

> やってみましょう
効果的な指示を出しましょう

● 許し難い行動のリストをみてみましょう。

　もしあなたが無視とほめることの組み合わせを用いているならば，それはかなり短いリストになっているはずです。許し難いもののリストはこのような感じかもしれません。

　　怒ったとき物を投げる
　　家具の上で跳びはねる
　　ネコのしっぽを引っ張る
　　ベッドに入るのを拒否する
　　弟をたたく
　　家から出てどこかへ行ってしまう
　　つばをはく

● どの行動から手をつけるか，このうち1つを選びましょう。
　　……たとえば，家から出てどこかへ行くこと。

● その代わりにしてほしい行動を決めましょう。
　　……家で遊ぶこと。

● 指示を選びましょう。
　もし，できるなら，やめてほしいことよりも，してほしい行動を明言しましょう。疑問形を使ってはいけません。

たとえば：
「家を出ていくときは，その前に必ずお母さんに言ってからですよ」
「家にいなさい」
「決まりは，家から出ないこと」

選んだ問題行動が次に起きたときに：
　子どものところへ行く
　目をあわせる
　しっかりとした平静な声を使う
　指示を出す

　行動をはじめさせたりやめさせたりしたいときはいつでもこのやり方をくりかえします。やがて，穏やかにしっかりした口調での指示や，お願いするような言い方でなく直接的な指示の出し方が身につくでしょう。

　私の経験では，親がいったん効果的な指示が出せるようになると，子どもからの協力が急速にふえます。このような変化が起きるのは，以前は直接的でない指示であったからだと思います。

　つまり宣言するというよりも，お願いのかたちで指示していたのです。制限の設定をあいまいにし，「だめ」と子どもに言わなくてもすむようにしていたのかもしれません。悪者になりたくなくて，煩わしいことが遠のくのを待って，制限を設けるのを先延ばしにしていたのかもしれません。

　効果的な指示の出し方を学ぶことで，親はより強くなれたように感じ，力強くなります。それを，「やっと自分が母親になれたように感じる」と，子どもがたくさんいる，ある未婚の母親が表現しました。思い出させるた

めにことばかけや合図は1度か2度は必要かもしれませんが，がみがみ小言を言わなくてもいいのです。思い出させるためのことばかけや合図を2回与えたら，次には結果としての罰が与えられることを警告しましょう〈→179ページ参照〉。

● ここで学んだこと ●

☆指示は，子どもにある行動をはじめる，もしくはやめることを伝える簡単な宣言であること。
☆効果的に指示を与えるために…
　◇子どもと視線をあわせましょう。
　◇してほしい行動をことばではっきりと伝えましょう。
　◇「～しない？」のようなお願いや疑問文ではなく，宣言のかたちで。
　◇平静なしっかりした声の調子をつかいましょう。
　◇必要ならば思い出させるためのことばかけや合図を与えましょう。
　◇あなた自身が真剣になりましょう（そうすれば子どもも真剣になるでしょう）

IT'S TIME FOR BED JOSH!
BUT IT'S ONLY 8:30
IT'S TIME FOR BED!
NO ONE ELSE IN MY CLASS HAS TO GO TO BED AT 8:30!
IT'S TIME FOR BED!
EVERYBODY BUT ME GETS TO WATCH TV 'TILL 9:30
IT'S TIME FOR BED!
IT'S NOT FAIR!
IT'S TIME FOR BED!
WHY DO YOU KEEP SAYING THAT?
IT'S TIME FOR BED!
ALL RIGHT, ALL RIGHT, JUST STOP SAYING THAT STUPID "IT'S TIME FOR BED"!
THANKS JOSH. I'LL BE UP IN A MINUTE TO KISS YOU GOOD NIGHT!

20　ブロークン
　　　レコード・テクニック

　ブロークンレコード・テクニックとは，指示を単にくりかえす方法です。この方法は，子どもの反論やへりくつに応戦するためのすばらしい道具です。子どもはいま出された指示をはぐらかしたいと思っています。以下はジョシュがへりくつを言っている例です。

　　父親：ジョシュ，寝る時間だよ。
　　ジョシュ：だけど，まだ8時半だよ。
　　父親：8時半なら，十分遅いよ。
　　ジョシュ：8時半に寝なくちゃいけない子なんて，クラスに誰もいないよ。
　　父親：いいえ，たいがいの子どもは寝ていると思うよ。
　　ジョシュ：寝てないよ。みんな9時半までテレビをみてるよ。
　　父親：うむ，そうかもしれない。でも，おまえはおまえだよ。
　　ジョシュ：そんなの不公平だよ。
　　父親：ジョシュ，公平じゃないと思うかもしれないけど，お母さんとお父さんは，8歳の子どもの寝る時間は8時半が適当だと思っているんだよ。
　　ジョシュ：もしママが9時半まで起きてていいって言ったら，いいの？

などなど。想像がつきますね。

では，ジョシュの立場になってみましょう。父親が**ブロークンレコード・テクニック**を用いたら，どんな感じがするでしょうか？

父親：ジョシュ，寝る時間だよ。
ジョシュ：だけど，まだ8時半だよ。
父親：寝る時間だよ。
ジョシュ：8時半に寝なくちゃいけない子なんて，クラスに誰もいないよ。
父親：寝る時間だよ。
ジョシュ：ボク以外はみんな9時半までテレビをみているよ。
父親：寝る時間だよ。
ジョシュ：そんなの不公平だよ。
父親：寝る時間だよ。
ジョシュ：なんでそう言い続けるの？
父親：寝る時間だよ。
ジョシュ：わかった，わかったよ，そのバカみたいに「寝る時間だよ」と言うのをやめて。
父親：ありがとう，ジョシュ。お休みのキスをしにすぐに2階に行くからね。

ここでの父親は実はジョシュを無視しているのです。まるでこう言っているようです，「おまえがなにを言おうと，今すぐ，ベッドに行かなくてはならない──おまえが言うどんなへりくつも私は無視するよ」子どもはなにをしても無駄なので，結局その行動（口答え）をやめるでしょう。

親は論争に悩むことはないのです。ただ指示をくりかえすだけです。あなたはきっとこの方法が気にいると思います。怒る必要もないし，叫ぶ必

要もないのです。それに，頭の回転が速くて，理屈にたけている，エネルギッシュな子どもたちと論じあう必要もないのですから，落ち着きを保つことができ，子どもは頭を冷やすことができるのです。

> 要注意：カセットテープやＣＤで育った世代の子どもは，レコードが壊れて何度も同じところをくりかえすのを知らないでしょう。しかし，口答えの方法としてのブロークンレコードはよく知っています。あなたのブロークンレコードに子どもが同じ方法で応じてきたら，すぐにこの道具を使うのをやめましょう。子どもたちにはかないません。そのときは次のレベルの制限を設ける方法に進みましょう。

《例》
母親：ジョシュ，寝る時間です。
ジョシュ：いやだ。
母親：寝る時間です。
ジョシュ：いやだ。
母親：寝る時間です。
ジョシュ：いやだ。
母親：（きりがないことがわかったので，21章の罰の警告を使います。）

●ここで学んだこと●

☆ブロークンレコード・テクニックは，子どもがへりくつを言ってあなたの注意をそらそうとするときに，ただ指示をくりかえすだけのことです。

☆効果的にするためには，あなたはとても穏やかに言い続け，言い方を変えてはいけません。

☆もし，子どもがブロークンレコードで応戦してきたならば，このテクニックはあきらめます。次の罰の警告〈→21章〉を用いましょう。

《例》 母親：お風呂に入る時間よ。
　　　子ども：だけど，汚れてないもん。
　　　母親：お風呂に入る時間よ。
　　　子ども：後で。
　　　母親：お風呂に入る時間よ。
　　　子ども：たくさん遊んでもいいって言ったじゃない。
　　　母親：お風呂に入る時間よ。
　　　子ども：わかったわよ！　入るよ。
　　　母親：ありがとう。

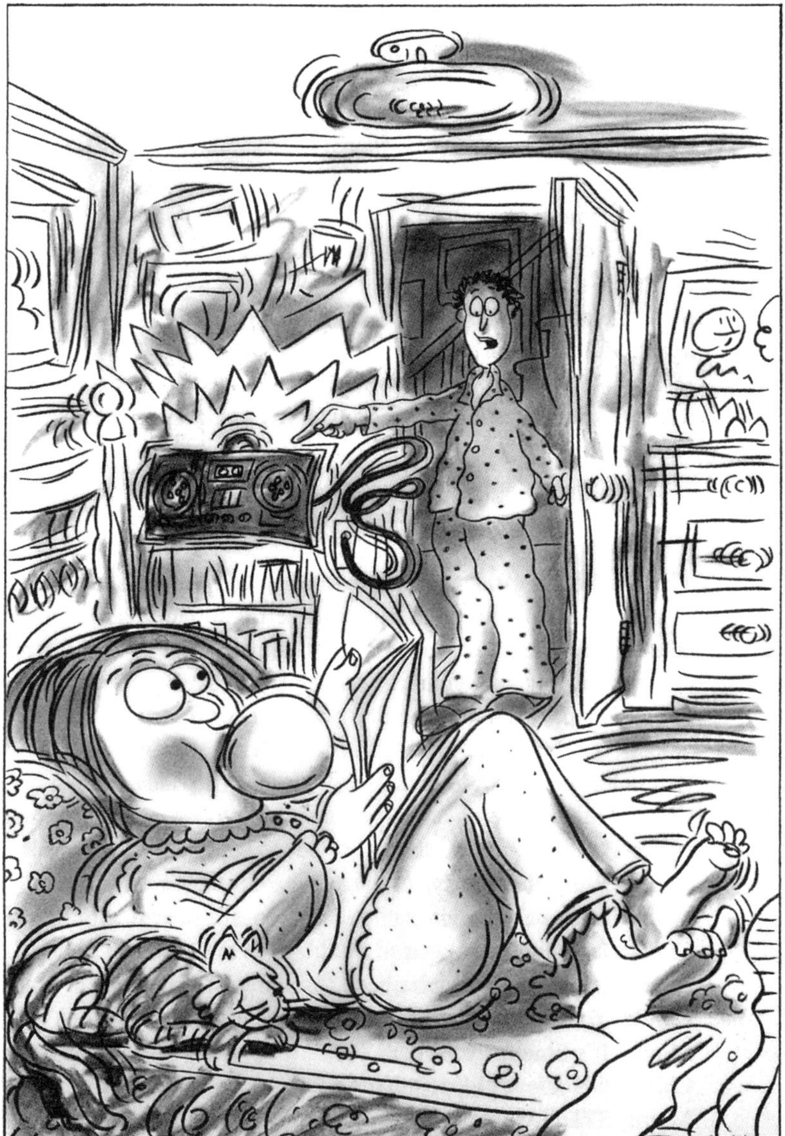

21　警告と結果としての罰

　警告とは，もし子どもがある行動をはじめたり，やめたりしないときに，当然与えられる結果（罰）を宣言することです。
　子どもがあなたの指示を無視し，次のレベルの制限設定が必要になったときは，その結果として罰が与えられることを警告に用いましょう。やめてほしい行動をはっきりと言いましょう。そしてあなたが与える罰をことばではっきりと言いましょう。通常，あまり重くないちょっとした罰で十分に効果があります。
　その行動が続いたら，躊躇（ちゅうちょ）せずに，徹底して罰を与えなければなりません。

結果としての罰とは：
　　特典やなにか物を失うこと
　　子どもにとって意味があり，大切なこと
　　親がコントロールできること
　　心おきなく取りあげることができること

> **例**

ミアは部屋の中で天井にボールをぶつけています。

親は指示します：
「ミア，ボールをもって外で遊びなさい，わかったわね。」
ミアは親を無視します。

親は思い出させるために指示を再度出します：
「ミア，私は『ボールをもって外で遊びなさい』と言ったわよ」
ミアは親を無視して，ボールをはずませ続けています。

親は**警告**を出します：
「ミア，今すぐボールをもって外にいきなさい，でなければ，私がボールを15分間取り上げますよ」（「それをやめなさい，さもないとひどいわよ！」ではない。）

この例が，**罰とは自分自身がしたことへの当然の結果である**，という定義に当てはまることに注意しましょう。

　　特典の喪失 ── ボールを短い時間しか使えない。
　　子どもにとって意味がある ── 彼女は今，ボールで遊んでいて，やめたくない。
　　親が特典をコントロールしている ── 親は簡単にボールを取り上げ隠すことができる。

心おきなく取り上げることができる　——　これはよい例である。許し難い行動に直接結びついている。

　危険でない限り，罰を与える前にいつも警告を出すようにしましょう。警告は，もしその行動を続けるならどんなことが起きるか，子どもにはっきりと認識させます。また自分自身の行動に責任をとる機会を与えることにもなります。その行動を続けることで罰せられるか，そうするのをやめてほめられるか，子どもにとってどちらも可能です。子どもがある行動に対して罰を受け，その後ですぐにまた同じことをやったときには，警告をくりかえす必要はありません。

　適切な罰を考えるのがむずかしい場合もあります。一般に，筋がとおっていて，当然の結果として，**問題行動とその罰が結びついている**ことが望ましいと言われています。今夜寝るのを拒否することで，明日は早く寝なければならない，これは結びつきがよい例です。

　罰の選択には注意しましょう。制限を設けることが目的で，子どもを混乱させ気持ちを荒れさせるためのものではありません。子どもの誕生パーティーを取り上げてはいけません。3歳の子どものお気に入りの毛布や，12歳の子どもの何週間も楽しみにしてきたボーイスカウトのキャンプを取りあげてはいけません。けっして子どもがやっとの思いで得ることができた特典を取り上げてはいけません。

　親は子どもを1週間外出禁止にするとか，2週間テレビゲームを取り去ることで，行動が改善されるだろうと考える傾向があります。けれども，**短期間の罰**のほうが長期間の罰よりも効果的なのです。

　子どもはなにが起きたかをすぐに忘れます。つまり罰せられたことは覚えていますが，なにに違反してそうなったかを覚えていません。1日以上

の長さの罰はお互いにとってエネルギーの無駄遣いです。また，罰が長くなればなるほど，あなたが選べる選択肢が少なくなります。たとえば，思春期の子どもには，電話の使用禁止が効果的な唯一の罰かもしれません。もし，電話の使用を2週間禁止したら，翌日，罰が必要になったときに他に使えるものがありますか？

　短い時間でも特典を失うことは，どれくらいインパクトがあるでしょうか？　同点の野球中継で最後の2分間にテレビを消したとしたら，ティーンエイジャーが音楽番組を15分間見られなかったら，10分早く寝なければならないとしたら，さあどうでしょう？　そのインパクトを考えてみましょう。それでも2週間が必要ですか？

　短い罰の重要な点は，**セルフコントロールを教える**のに役立つことです。数日後ではなく，すぐにもう一度やりなおす機会を与えます。それを，家の中でボールをはずませていた小さい女の子のミアの例でみてみましょう。

　　　ミアは母親が警告を出した後にもボールをはずませています。母親はボールをミアから取り上げます。ミアはいやいや母親の手にボールを置きます。母親は言います。「ありがとう，ミア，15分たったらボールを返すわね」

　　　母親はキッチンタイマーを15分にセットします。ミアは最初は怒って，ぶつぶつ言っていても，やがて別のおもちゃで遊ぶことに熱中しはじめます。タイマーが鳴って母親がボールをミアに返しながら言います。「ミア，さあ，ボールを返すわね。外でそれで遊んでいいわよ」

このときをミアの母親はお説教の機会にしていません。そうしたいのはやまやまですが，せいぜい，ミアに外で遊ぶようにと指示し直すくらいです。母親の声には怒りもないし，非難もありません。わが子として彼女を受け入れます。
　ミアはブツブツ言いはじめるかもしれません。母親の手からボールをひったくるかもしれません。背を向けて行ってしまうかもしれないし，床に寝ころんでぷーっとふくれてかんしゃくをおこすかもしれません。これらすべてを，ミアの母親は無視します。

　彼女が遊ぶためにボールを外にもっていったら，母親は彼女をほめます。腹がたっていたとしても，感情的な罰となるような不平をぶつぶつ言うのではなく，こう言います。「ありがとう，ミア，外でボール遊びをしてくれて」
　子どもは罰が終わったとわかり，両親からの注目をこれからも得るにはどうしたらいいのかを理解します。この出来事は子どもが協力し親がほめることで終わります。

　この肯定的な注目は，してほしい行動を続けさせ，してほしくない行動が再び起きないようにするでしょう。しっかりとした，公平な，短期間の制限設定は，子どものセルフコントロールを育て，これからもずっと行動を変えていきます。

　以下に効果的な罰の例をあげました：

　　15分間ラジオやテープレコーダーを使えない
　　就寝時間を早める（20分間）
　　年齢に応じて，5分とか20分とか，おもちゃを取り上げる

外で遊ぶのをやめて5分間，部屋にいなければならない
8分間きょうだいや友だちと遊んではいけない
一晩電話の使用ができない
外出の予定を中止する（必ずまず警告を与える）
朝，自転車やスケートボードの使用ができない
10分間，テレビや，パソコンや，テレビゲームができない
5分間のタイムアウト

● ここで学んだこと ●

してほしくない行動をやめさせ，してほしい行動をはじめさせるために，次のステップを用いましょう：

　☆指示を出す
　☆思い出させるために指示をくりかえす
　☆結果としての罰を警告する
　☆罰を徹底してやりとおす
　☆代わりにしてほしい行動がおきたらほめる

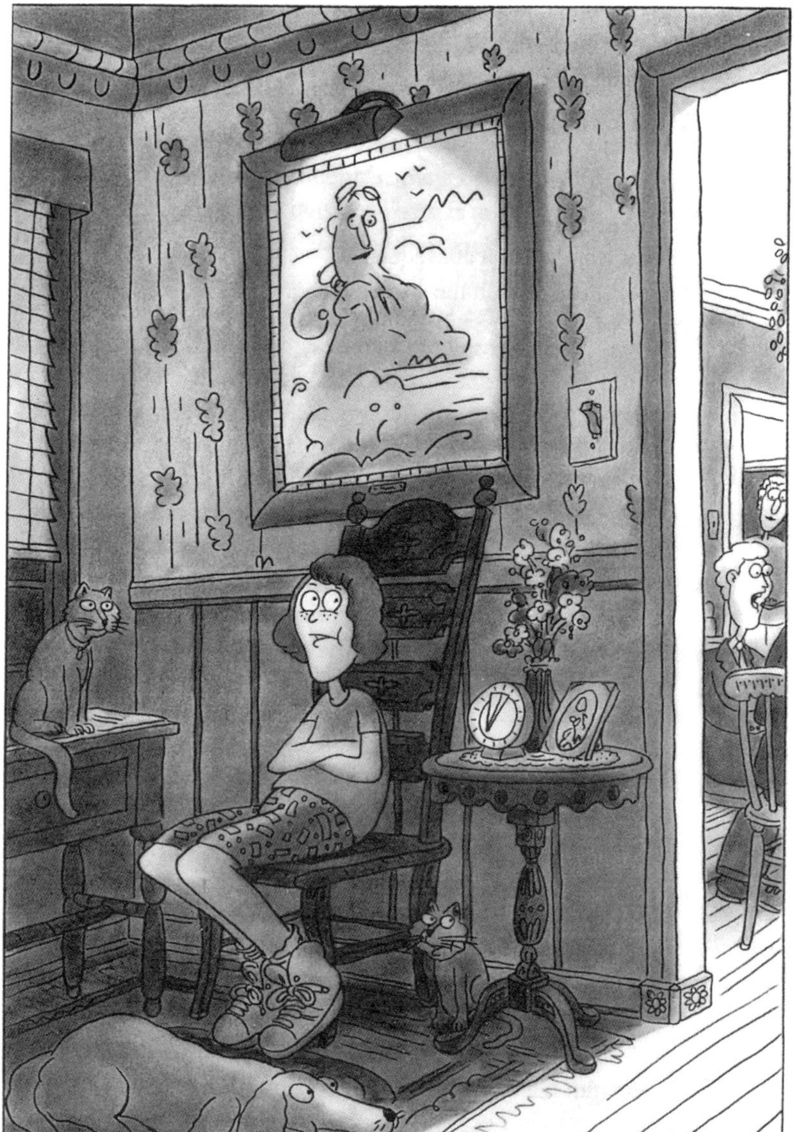

22　タイムアウト

　タイムアウトは３歳から12歳の子どもに用いることのできる効果的な罰です。持ち運びのできる道具でもあります。タイムアウトはおばあちゃんの家でも，隣の人の家でも，スーパーマーケットでも，用いることができます。タイムアウトは，適切な罰をすぐに思いつかなかったときにとても役立ちます。

　こんなふうに，タイムアウトを使います：

1.　**家の中でタイムアウトの場所を選びます。**
　これ以上トラブルが起きる可能性のない，部屋の隅においたイスがいいと思います。つまり，破る壁紙がなく，物をつっこんでいたずらするようなコンセントがないところです。ドアで閉ざされる場所ではない方がいいでしょう（薬や割れやすいビンがあるような洗面所やお風呂場はとくによくありません）。
　子どもの寝室がタイムアウトには効果的だという親もいますが，たいていの子どもはおもちゃで遊びはじめるでしょう。タイムアウトはかたちのうえでは罰ですが，けっしておしおきではありません。**タイムアウトの場所は，あなたの目が届き家族が集まるところに近いのが理想です。**

2. タイムアウトの時間を決めます。

　子どもの**年齢1歳につき1分**が適当でしょう。年長の子どもでも，最初の罰として5分は長すぎます。してほしくない行動が続くときは，毎回，タイムアウトを1分くらいふやしていくこともできます。キッチンタイマーを使いましょう。それを子どもに見せます。タイマーが鳴ったらタイムアウトは終わりだと伝えましょう。

3. 短時間の家族会議でタイムアウトを紹介します。

　子どもとともに席につきます。許し難い行動はなにかを言います。そのことであなたがどう感じているかを伝えます。そして，子どもがその行動をやめるのを手伝えるような計画があるのだと伝えましょう。

　イスがおかれる場所を示し，タイマーがどうセットされるかを示します。練習をしてみることは非常に役立ちます。たいていの子どもは，それがまだ罰ではないので，会議やタイムアウトの練習には快く協力します。この会議は10分以内に終わらせましょう。

4. 許し難い行動がはじまったら，タイムアウトの警告を出します。

　忘れないでください。子どもがそれなりにセルフコントロールができる機会や，自分でその行動をやめる機会を与えることが常に大事なのです。子どもに，タイムアウトになるという警告をすることでチャンスを与えましょう。子どもがその行動をやめたら，ほめましょう。

例

　　8歳のラリーが車庫の屋根の上で遊んでいます。ラリーの父親はそれがどんなに危ないかを説明しましたが，その注意は効果がありませんでした。父親はタイムアウトの警告を出します：

ステップV　制限を設けるには

父：ラリー，こんど屋根にいるところを見つけたらタイムアウトだよ。わかった？
　ラリー：わかったよ，パパ。
　父：ありがとう。わかってくれて嬉しいよ。

　もしその行動が続いたら，タイムアウトを次に実行します。

　ラリー：（車庫の屋根に登る）
　父：ラリー，遊ぶのをやめて部屋に入って，8分間タイムアウトだよ。ここにタイムアウトのイスを置くよ（ダイニングの隅に壁に向けてイスを置く）。タイマーを8分にセットするよ。（ラリーはすわる）ありがとう，ラリー。タイマーが鳴ったらタイムアウトは終わりだよ。

　タイムアウトが終わったら，平静な声で，簡単に知らせます。こんなふうに「さあ，タイムアウトは終わりだよ。外で遊んでもいいよ」。
　ときにはふくれっつらをして隅にすわり続ける子どももいます。しばらく無視しましょう。機をみて，「夕食の準備を手伝ってくれない？」などと声をかけます。あるいはなにか質問して子どもの意見をききます。そうすることは，家族の生活に引き戻すちょっとした誘いかけです。子どものとなりに腰をおろし，イスから離れるようになだめすかす必要はありません。

　また，**タイムアウトの終わりにお説教をするべきではありません**。なかには，おそらく罰を与えたことが不快だったり，罪の意識を感じるためか，タイムアウトの後で，なぜタイムアウトしたかを説明しようとしたり，よりよい行動を約束させようとする親もいます。こういったお説教をしても，実際には子どもはすねたり，許し難い行動をくりかえすだけです。問

題となるような行動が起きなければ，日常の忙しいスケジュールのなかでは，本当に心が通いあうような話しあいの時間をみつけようとしないものです。

　日々の生活の中で，望ましい行動を見つけ，探し続けるようにしましょう。そうすることで，子どもはポジティブな方法であなたの注目を得るにはどうすべきかをしっかりと学ぶでしょう。

〈タイムアウトへの子どもの反応と，それにどのように応じたらよいかを考えてみましょう。〉

子どもはタイムアウトに次の方法で抵抗するかもしれない…	それにはこのように応じよう
へりくつ	⇒　無視する
口論	⇒　ブロークンレコード・テクニック
完全な拒否	⇒　タイムアウトもしくは他の罰を選ぶ

　次に，母親が12歳の子どもにタイムアウトを出した例をあげます。**したら／してよいという取り引き**ではじめていることに注意しましょう。
（注：この場合の取り引きは，すわったらタイマーをスタートさせることを意味しています。）

　　母：エディ，10分間のタイムアウトよ。自分でそうしたのだから，このイスを使いましょう。あなたがすわったら，このタイマーをスタートさせるわね。
　　エディ：(叫んで) そんなのずるいよ。

母：(へりくつは無視。穏やかな声で，ブロークンレコードを使う) あなたがイスにすわったら，タイマーをスタートさせるわね。

エディ：(30秒立ったまま)

母：(タイマーをもって，なにも言わずに向こうへ行って待つ。母親は自分にはいくらでも時間があるというふりをしながら，しばらくその場を離れる。)

エディ：(ゆっくりとイスの方に向かう) なんでこんなばかばかしいイスにすわらなくちゃいけないのかわからないよ。ランプが壊れたのはボクのせいじゃなかったのに (ゆっくりとイスに崩れるようにすわる。)

母：エディ，ありがとう。さあ，タイマーをスタートさせるわ。(子どもにタイマーを見せ，10分にあわせる)

エディ：(身体をちょっと揺らして，ぶつぶつ言うが，イスにすわっている)

母：エディ，ありがとう。(タイマーが鳴るまで，もぞもぞやぶつぶつを無視する) タイムアウトは終わりよ，エディ。さあ，遊んでもいいし，私を手伝ってくれてもいいわよ。

エディは，タイムアウトに従うのにぐずぐずしたり，ぶつぶつ言ったりして，少し抵抗しています。それはおそらくメンツを保つためでしょう。母親はぐずぐずやぶつぶつに耐えます。もし母親が彼と口論しようとしたり，従順に従うというとてもできないことをおしつけようとしたら，もっと争いが起こっていたでしょう。エディの母親は無視，ブロークンレコード，穏やかで平静な態度を賢く用い，結局，子どもはそれに従います。

エディがすわるのを拒否したら，母親は立ち上がり，ちょっと間をおいて，くりかえします。「イスにすわったら，タイマーをスタートさせるわ」

と。抵抗が続くときは，タイムアウトの時間を1分くらいふやすと効果があるという母親もいます。もしあなたの子どもが全く拒否するなら，次の**バックアッププラン**を利用しましょう。

バックアッププラン

あなたは子どもを力ずくでタイムアウトのところにつれていきたくはないでしょう。だったら，バックアッププランが役立ちます。もし子どもがタイムアウトを拒否したなら，彼に選択肢を与えましょう。エディの母親ならこう提案することができます。

「今すぐ10分のタイムアウトか，パパが帰ってきて15分のタイムアウトかよ。」
「今10分のタイムアウトをするか，今晩15分早くベッドに入るかよ」
「10分のタイムアウトをとるか，今晩のテレビなしか，どちらかを選びなさい。」

子どもがタイムアウトに代わるものを選んだら，その罰を徹底してやりとげましょう。

タイムアウトの使用を節約する
タイムアウトはとても効果的ですが，毎日かつ一日中使っていたら，その効果は急速に薄れていきます。それらの行動がひんぱんに起きるならば，1つか2つの行動にだけタイムアウトを使うようにしましょう。そして忘れずに，子どもがその許し難い行動をしたときは，毎回タイムアウトを使うのです。

●ここで学んだこと●

☆タイムアウトは簡単で，家庭外でも使え，特別な準備がいらない，子どもの行いに対する正当な罰です。

☆タイムアウトを次のように使いましょう。
① タイムアウトの場所を選ぶ。家族が集まる場所に近い部屋の隅に置いたイスがよい
② タイムアウトの時間を選ぶ。子どもの年齢1歳につき1分，最初の違反には短めでもよい。
③ キッチンタイマーを使う。
④ 他の罰と同じようにタイムアウトを出す前に警告する。
⑤ 行動がくりかえされたらタイムアウトを使う。
⑥ 子どもがタイムアウトを拒否するときは，無視，ブロークンレコード，より重い罰の選択という方法を使う。
⑦ タイムアウトの後でお説教をしない。簡単に「タイムアウトは終わり。ありがとう」と言う。

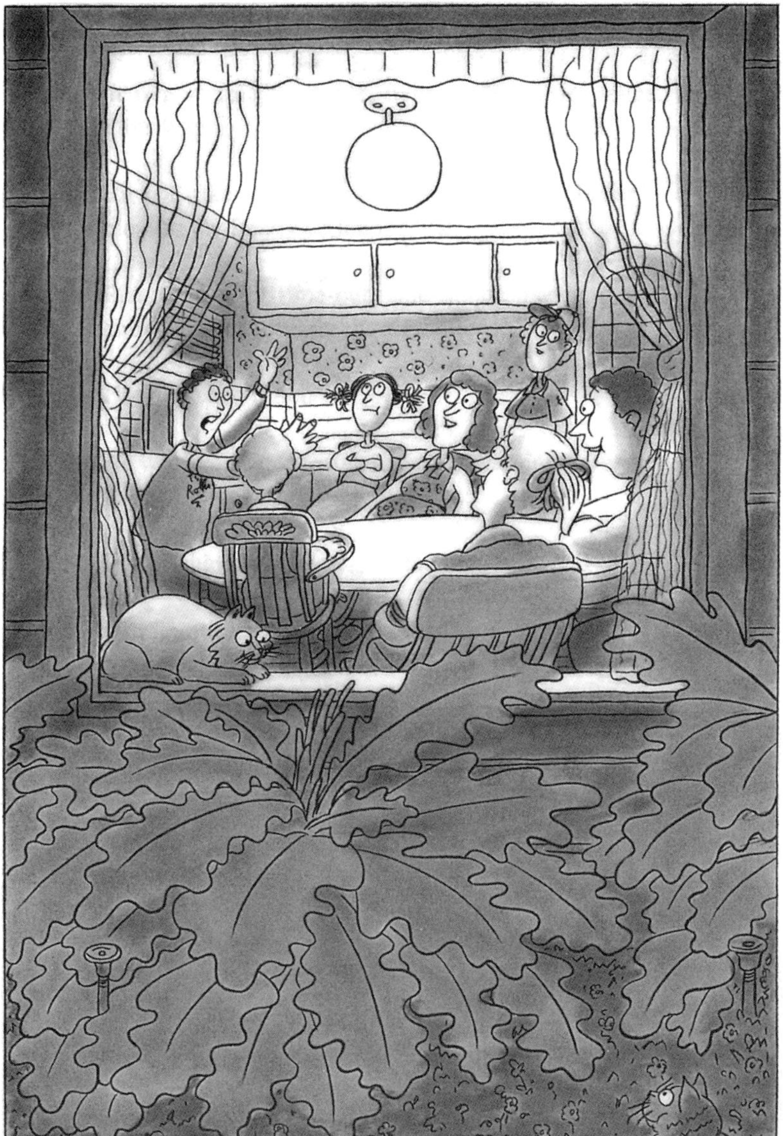

23　家族会議で問題を解決する

家族会議は，家族におきた新たな出来事を話しあったり，なにかを決めたり，互いの話を楽しんだり，問題を解決をするために家族が集まることです。

そのテーマには，学校の行事の予定を知らせるとか，今週のお互いのスケジュールを調整するとか，家事の分担をどうするかを決めるとか，外出や休暇を計画するとか，あるいはただ単にポップコーンパーティをやるかどうかも含まれます。

家族によっては，日曜日の夕食や，土曜日の朝食のときを家族会議の時間として使います。あるいは，より形式的なほうが民主的な話しあいの練習になっていいと考える家族もいます。

冷蔵庫のドアにテーマを貼り，だれでも話しあいたいことを書けるようにします。議長の役を全員の持ち回りにすれば，幼児でも家族の中での自分の権威を実感できるでしょう。

私は問題解決の話しあいの場として食事の時間は使いませんが，家族の足なみがそろうように家族会議の機会を頻繁につくるように心がけています。家族の中で誰かになんらかの具体的な問題が起きたとき，次のようなアプローチを用います。

1. 題がなにかを明確にします。
　このことは多少巧妙にやる必要があります。話しあいに先立って，親はなぜその行動が問題かを決定しておかなければなりません。

　ハンプトン家のルールは「6時までに家に帰る」です。それをとりあげてみましょう。10歳のニコルが6時半に自転車で帰宅した場合，いくつかのことが問題となります。
　　暗い中で自転車に乗ることは危ない。
　　6時の夕食に遅れるだろう。
　　就寝時間が遅れるだろう。
　　両親は彼女といっしょに時間を過ごしたい。
　　彼女はお手伝いか宿題をする必要がある。
　　両親は彼女に6時に家にいさせたい。

2. 可能な解決法を考えます。
　会議で，子どもは解決法を出すでしょうが，両親はあらかじめ2，3の有効な考えをもっているほうがいいでしょう。もちろん解決法は問題に結びついたものであるべきです。

　ハンプトン一家ならば，次のような解決策を話しあうことになるでしょう。
　　自転車にライトをつけ，ニコルに暗闇でも目立つように白い洋服を着せる。
　　もっと長く外で遊べるように夕食の時間を遅くする。
　　もっと長く外で遊べるように寝る時間を遅くする。
　　午前中にニコルはお手伝いをすませてしまう。
　　ニコルに帰宅後すぐに宿題をさせる。
　　6時の門限はけっして変えない，その代わりになにか特典を与える。

3. 会議の日時を計画します。
　可能なら全員の都合がつく日時に決めます。たとえば，日曜の午後，金曜の夜，土曜の朝です。

4. 家族（もしくは問題に関わっている子どもたち）と落ち着ける場所に席をつくりましょう。
　集まってくれたことに感謝します。

5. 穏やかな，平静な，しっかりとした声の調子を維持しましょう。
　へりくつや，ふくれっつらや，口ごたえを無視することを肝に命じておきます。

6. 問題をシンプルに，明確に，手短かに，ただ事実だけを述べましょう。 悪口やののしり，また批判や皮肉は避けましょう。

7. 状況を解決できそうな考えをたずねましょう。
　建設的な考えをほめ，あきらかに非協力的な提案は無視しましょう。

*8. **妥協**（折り合える地点を探す）や**交渉**（子どもが望むこと，あるいはあなたが望むことの交換条件を出す）をとおして，意見の一致に達しましょう。*

　ハンプトン一家は次のように妥協することもできます。
　　親はニコルに家に6時に帰ってもらいたい。
　　ニコルは6時半に家に帰りたい。
　　彼らは6時15分で妥協した。

　あるいは，ニコルの行動にともなってなにが問題となるかを明確にし，

そのことにもとづいて**交換条件**を交渉することもできるでしょう。

問題：親はニコルとの時間がもっとほしい。
交換条件：ニコルは親と団らんの時間をもつために，テレビの時間を
　　あきらめる──そうすれば6時半に帰宅という特典が与えられる。

問題：暗くなってから自転車にのるのは安全ではない。
交換条件：ニコルは自転車にライトと反射板をつけ，白のスウェット
　　シャツを着ること，そして交通量の多い通りで乗らないことを約束
　　する。──そうすれば6時半に帰宅という特典。

問題：6時半はお手伝いや宿題をするには遅すぎる。
交換条件：ニコルが帰宅後すぐにお手伝いや宿題をすませられれば，
　　6時半に帰宅することができる。

問題：両親はニコルにこれまで述べてきた理由で家にいてほしい。
交換条件：両親はニコルに友だちを連れてくることを許すか，週末に
　　余分の遊び時間を与える。その代わりに，ニコルは6時に帰宅する。

9. フォローアップの話しあいの日を決めましょう。
　妥協案がうまくいっているかをしらべるために3日から1週間後にしましょう。

10. 家族のみんなが，その会議に集まって，問題に取り組んだことをたたえましょう。

11. じきに，家族会議をもつこと，それ自体が楽しくなるでしょう！

●ここで学んだこと●

☆許し難い行動に対処するために家族会議を使うことができます。以下のようなやり方でやってみましょう：

① 問題がなにかを明確にし，可能な解決策を考える。
② 会議を設定する。
③ 穏やかな声の調子を守り，問題を明確に述べ，考えをたずねる。
④ 妥協や交渉を通して，同意に達する。
⑤ その後に会議をもち，うまくいっているか否かを評価する。

☆楽しい時間とお互いの考えや様子を知ることができる機会をひんぱんにもつことは，家族同士の肯定的な感情が高まっていくすばらしい方法なのです。このことを忘れないでください。

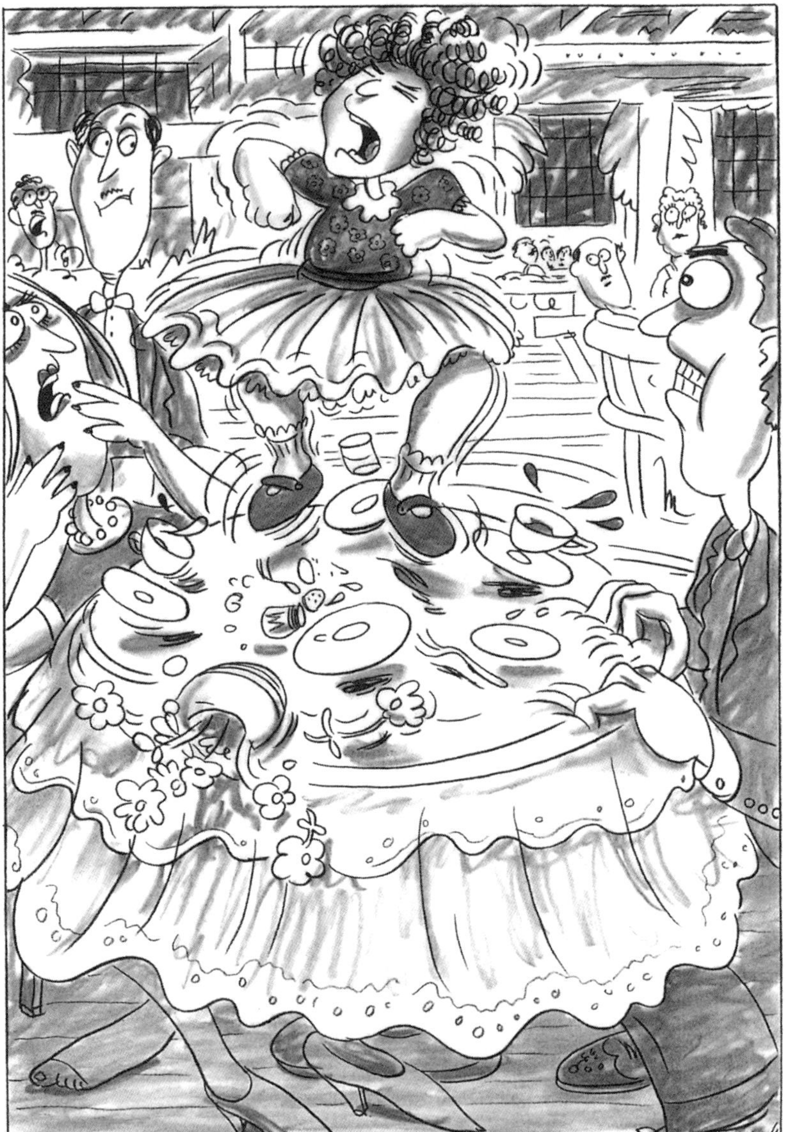

24　公共の場で制限を設けること

「あのだらしない親をみて！」
「なんてひどい子でしょう！」
「よくもまあ，子どもをあんなふうにたたけるものだ！」
「まあ，あんな子はひっぱたかなきゃわからないのよ！」

　公共の場で制限を設けるのは，それが「公衆の面前」であるためにとてもつらいことです。子どもはやってはいけないことをやらかし，親は知らない人が見ている中でそのめちゃくちゃな状況を解決しなければなりません！　そのことが平気な子どもも親もいません。あなただけに起きることのように感じるかもしれませんが，どの親も似たような場面に直面してきたのです。公共の場で耐えられないことをする年齢を通過して，子どもは育っていくのです。

　　車道を走る
　　車に乗るのをいやがる，もしくは，シートベルトをするのをいやがる
　　お店で割れ物にさわる
　　飲みもの，テレビゲーム，風船ガムがほしくてぐずぐず言う
　　兄弟姉妹と口げんかする

足をばたつかせたり叫んだり，かんしゃくをおこす
　　　レストランで，食べ物を散らかしたり，テーブルの下で足をばたつ
　　　かせる

　あなたには，平穏に買い物をしたり，外食をしたり，所用をすませる権利があります。家庭と同じように，公共の場でも，子どもにちゃんと行動するように求める権利があります。また，世間の人々もそれらの権利をもっています。わが子に，他人の買い物や，外食や，所用をすます楽しみを邪魔させたくはないでしょう。では，公共の場でルール違反をする子どもにどうしたらよいでしょう？　思い出してください。あなたには制限を設ける権利と，実は責任があります。確固とした制限を設けることは，それが**体罰でなければ使っていい**のです。それは**タイムアウト**か**特典を取り上げる**という方法です。

　あなたのできること，そしてあなたの子どもができる精一杯のことはなにかを理解しましょう。4歳の子どもは疲れたりお腹が空いていたり，用事をすますための外出が3時間にも及べば，とても協力的ではいられません。2歳の子どもを高級レストランに連れていくことは，歴史に残る暴挙です。前もって計画を立てましょう。ストレスが多いときに，子どもにとってなにが役立つかを考えましょう：

　　◎気分が変わりやすく，お腹が空いている子どもには，ヘルシーなお
　　　やつを用意しておく。
　　◎小箱のクレヨンと用紙，緊急なときに役立つ小さなおもちゃをもち
　　　歩く。
　　◎10代前半の子を助(すけ)っ人(と)として連れていく。
　　◎1回の外出ですべての用事をすませようとしない。そのほうが都合

ステップⅤ　制限を設けるには

はいいかもしれませんが，より負担が大きくなります。
◎ 近所の人とベビーシッターを交代でやる。あなたが隣の子どもを午前中に2時間みて，その代わりに午後に子どもを2時間預け，その間に用事をすませることができます。
◎ 必要性の高い順に用事をすませる。そうすれば，しなければならない日まで用事をのばすことができます。
◎ 公園の中や街の噴水の側でファーストフードを食べたり，自分なりのちょっとしたピクニックで，気分を変えます。

　子どもが**公共の場でかんしゃく**をおこしやすい年齢だったら，用事をしなければばらないときには，週に1度か2度は子どもを家族や友だちに預けるようにできるだけ努力しましょう。子どもを連れて外食しないようにしましょう。子どもを連れて外出することになったら，**無視とほめることの組み合わせとしたら／してよいという取り引き**を使って，協力的な行動をひきだしましょう。次のように伝えます：

　「スーパーマーケットでちゃんとしていられたら（それはいつでも私の見える場所にいるということです），家に帰ってから，20分間いっしょにゲームで遊びましょうね」
　そして，お店で子どもがあなたの側にいるときは，数分毎にほめます。

公共の場でタイムアウトを使うこと

　タイムアウトは公共の場で使うことができます。家と同じように効果があります。

1.　家を出る前，もしくはドライブの最中に，子どもにルールを思い出

させます。

　それはあなたが従ってほしいと思っていること，たとえば：
　　「後部座席ではお互いに手出しをしないこと」
　　「座席をたたないこと（もしくはシートベルトをしていること）」
　　「お店の中で目の届くところにいること」
　　「棚にあるものをやたらにさわらないこと」

2.　したら／してよいという取り引きを使います。
　　たとえば：
　　　「このルールに従ったら，帰りに今晩みるビデオを借りましょう。」

3.　もしルールを破ったら，タイムアウトだと，警告しましょう。
　　持参したキッチンタイマーを見せれば，あなたが本気だと子どもにもわかるでしょう！
　　　「これは警告よ，もう1回走ってどこかにいったらタイムアウトよ。」

4.　タイムアウトの場所を選びましょう。
　　お店（もしくは，どこか）に入ったら，周りを見回します。タイムアウトを使わなければならないときの最適な場所を選びます。トイレがもっともやりやすいでしょう。車につれていって，そこを使う親もいます。もし，おとなが2人で子どもが数人なら，ひとりが子どもを建物の外（もしくはトイレの中）に連れて行くことができます。私はよくスーパーマーケットやデパートの片隅で，もっとも目移りのしないようなところを選んで使います。
　　工夫をすれば，たいてい，どんなスペースでもつかえます。タイムアウトの成功は，あなたの平静さとしっかりとした態度にかかっているのです。

5. タイムアウトの時間を決めましょう。
　短時間にします。子どもはあなたが公共の場でタイムアウトを使うのに，かなり驚くと思います。あなた以上に恥ずかしいと思うかもしれません。1分か2分で十分でしょう

6. その行動が続くならば，次にタイムアウトを遂行しましょう。
　へりくつは無視して，口答えにはブロークンレコードを使いましょう。
　　「いいわ，私といっしょにこの隅に来なさい。ここに1分間すわりなさい。時間がきたら言うから。」

　子どもが抵抗したら，今ここでタイムアウトか，後でもっと長いタイムアウトにするか，あるいは，家に戻ってからそれ相当の罰にするか，どれにするかを選ばせなさい。
　　「あなたが選んでいいのよ：タイムアウトか，今夜のビデオをなしにするか。」

7. 平静な声で，タイムアウトが終わったと伝えます。
　お説教はなし。簡単に「タイムアウトは終わりよ，ありがとう」と言います。

8. 子どもが別のしてほしい行動をしたり，許し難い行動をやめれば，すぐにほめましょう。
　　「あなたが私の目の届くところにいてくれて助かるわ。」

秘密兵器：トライアルラン（試してみること）

　ある日私が車にのっていると，隣の家族が娘のリリィをつれて階段をの

ぼっているのを見ました。母親のベスがリリィを家に連れていき，父親といっしょにいるように伝え，食料品を買いにマーケットに戻ろうとしていました。

　買い物をいっしょにすることは母親と娘にとって楽しいことです。ベスはフルタイムで働いているので，マーケットや銀行やクリーニング店に行くことが，娘といっしょに過ごす方法なのです。リリィが食料品といっしょにカートにすわりたいと要求しました。母親が娘に（食料品がたくさんあるので）できないといったとき，リリィは大騒ぎをしました。ベスはリリィに騒ぐのをやめないと家に連れて帰ると警告を出しました。

　リリィはやめませんでした。そこで母親はいっぱいになったショッピングカートを残して，リリィを家に連れて帰りました。そして父親にリリィを預けて，数マイル離れたスーパーマーケットに戻りました。

　私はこの例を何度も何度も紹介します。なぜなら，その賢い隣人は，けっして2度と同じことをしなくてすんだからです。レストランや店で置いていくわよと脅すだけの多くの親と違って，ベスは警告を最後までやりとげ，リリィとの間に大きな信頼をきずいたからです。リリィはいまや，母親は本当に実行し，母親が罰の警告を出したら，してはいけないことをやめることを真剣に考えた方が賢明だということをよく理解してます。

　あなたはマーケットで制限を設けることができます。もしカートから離れなければならないなら，店員にカートを隅においてもらいます。車の中で許し難い行動が起これば，そのたびに車をとめるか，直接家に戻ります。レストランでもできます。子どもにあなたの威信を示すために，以下のような外出を計画しましょう。これは負担の少ない**トライアルラン**です。子どもには試していることを秘密にしておきます。次のように計画しましょう。

1. 子どもの好きなファーストフードの店か，高くないレストランを選びましょう。

2. 今日みんなで外食をすることを知らせ，子どもたちにルールを思い出させます。
　　　食べ物はお皿の上か，フォークか，口の中（投げたり，吐き出したりしない）。
　　　足を動かさない（テーブルの下で足をばたつかせない）。
　　　イスにすわっている（レストランの中を走り回らない）。

3. もしルールを破ったら，すぐにみんなをレストランから連れて帰ると警告します。

4. レストランに行きます。
　気軽に店を出れるように，あなたはコーヒー，紅茶，あるいは水を頼みます。子どもには好きな食べ物を注文させます。

5. してほしい行動をほめます。
　　　「～がいいわ」
　　　「～してくれてありがとう」
　　　「あなたたちがこんなに～してくれて嬉しいわ」

6. 子どもがルールを破ったら，立ち上がって穏やかに言います。
　　　「ルールを破ったわね。行きましょう。」
　みんなを家に連れて帰ります。テーブルに食べ物を残してもいいでしょう。もしくはもっていかせてもいいのですが，それはあなたが車の中で食べ散らかされるのに耐えられればの話です。

7. 抗議は無視し，謝罪は丁重に受けとめ，また別の機会にやり直せることを伝えましょう。

　問題をおこさなかった他の子どもたちのことをそれほど心配することはありません。確かに，かれらはおあずけを食らった状態ですが，これが仲間からの圧力となって，ルールを破る子どもへインパクトを与えるのです。

　たいていの場合，1回以上試みる必要はないと思ってください。やってみるだけの価値があります。成功を祈ります！

●ここで学んだこと●

☆あなたには，遠出や用事で出かける際に，平穏である権利があります。

☆制限を設ける必要があるときは**タイムアウト**を使いなさい。最後までやり通し親としての権威をきずくために**トライアルラン**を使いましょう。

タイムアウトプラン：
① 子どもにルールを思い出させる。
② 協力をひきだすために，したら／してよいという取り引きを使う。

③　ルールが破られたらタイムアウトの警告をする。
④　タイムアウトの場所を選ぶ。
⑤　時間の長さを選ぶ。1，2分で十分。
⑥　行動が続くなら，タイムアウトを実行する。子どもが拒否したら，後でもっと重い罰の選択肢を与える。
⑦　タイムアウトの終わりを知らせる。
⑧　してほしい別の行動をしたり，許し難い行動をやめようとしはじめたらすぐにほめる。

トライアルラン：
①　高くないレストランを選ぶ。
②　子どもにルールを思い出させる。
③　もしルールを破ったらすぐにレストランから連れ帰ると警告する。
④　レストランに行き，注文をする。
⑤　してほしい行動をほめる。
⑥　子どもがルールを破ったら，穏やかに帰ることを伝える。
⑦　抗議を無視し，謝罪を丁重に受けとめ，いつかまた別の機会があることを言う。

これを1度以上やる必要はないでしょう。あなたのルールと警告は大きな意味をもつようになっているでしょう！

これまでのまとめ

　あなたはこれで子どもの協力をふやし，家庭での葛藤を減らすのに必要なすべての方法を知りました。さあ，がんばってこれらの方法を使っていきましょう。ほめることを見つけていくこと，無視する忍耐力をもつこと，冷静でしっかりした態度で制限を設けること，そしてそのことを継続して行っていくことです！　あなたが学んだ方法を用いる手助けとして，次のページの**トラブルシューティングガイド**を使ってください。

　トラブルシューティングには，特別な問題行動に役立つ20の**バトルプラン**があります。緊急時にはバトルプランを役立てましょう。
　ぶつぶつ文句を言うのをやめにして，あなたのポケットや財布にバトルプランを入れてもち歩きましょう。
　簡単に見られるように，台所の食器棚の開きの内側にバトルプランを貼っておきましょう。もちろん，電話のそばには，子どもが邪魔をするときのためのバトルプランをおいておきましょう。

　育児とは絶え間ない挑戦です。毎年子どもの年齢がひとつふえるたびに，また新たな発達段階になるたびに，子どもは楽しみな行動も，困った行動もさまざまなことをやってくれます。あなたがこの本の方法を使うことが

できるようになれば，してほしい新しい行動をさらにふやし，困った行動を処理しやすくなっているでしょう。

　もしあなたがなにがなんだかわからない状態になりつつあると思うのなら，ほめることを忘れているのかもしれない，ぶつぶつ文句を言われたりかんしゃくをおこされたりすることに音をあげているのかもしれない，再び説教したりがみがみ小言を言ってるのかもしれない，警告したことを最後までやりとげることができなくなっているのかもしれないのです。そういうときこそ読み返し，この本で紹介された方法を使いましょう。

　これらの方法はあなたに平穏をもたらします。子どもとのぶつぶつ戦争やあらゆる小競り合いに勝つことができます。ここにある道具はあなたに必ず勝利をもたらし，あなたの子どもが成長し成人するときまで，あなたを支え続けるでしょう。

✂✂✂　トラブルシューティングガイド　✂✂✂

どのような問題の状況でも以下のステップが使えます。

1➡　状況をしらべましょう。
　　あなたがしてほしい行動，してほしくない行動，許し難い行動のうちのどれにあたるかを把握しましょう。
2➡　してほしい行動ならほめましょう。
3➡　してほしくない行動なら無視しましょう。
　　そして，あなたがほめることのできる行動を待ちましょう。
4➡　子どもがしてほしい行動をはじめやすくしましょう。
　　協力できるような誘いかけをしましょう。
　　選択肢，予告，したら／してよいという取り引きを用いましょう。

5→ よりよい行動のためのチャート（BBC）を導入しましょう。
   a. 容易な行動と目標の行動を選び，そして，ごほうびを選びましょう。
   b. 試験的な記録をつけながら，あなたの子どもを観察しましょう。
   c. チャートを家族に公表しましょう。
   d. すぐにほめ，ごほうびを与え，指示に応じないことは無視しましょう。

6→ あなたの子どもが許し難い行動をしないようにさせましょう。指示を与えましょう。

7→ もしやめなければ…結果としての罰を警告しましょう。

8→ それでもやめなければ…その罰を最後までやりとげましょう。

9→ 徹底しましょう。
   子どもがその行動をくりかえしたら，いつも同じ罰を与えましょう。

10→ 家族会議を利用しましょう。
   a. 問題がなにかを明確にし，可能な解決法を考えましょう。
   b. 話しあいの場を設定しましょう。
   c. 平静な声の調子を維持し，問題をはっきりと述べ，そして意見を求めましょう。
   d. 妥協や交渉をとおして，合意に達するようにしましょう。
   e. フォローアップの話しあいでうまくいっているか否かを評価しましょう。

11→ 子どもの成功をほめましょう。

トラブルシューティングガイド

バトルプラン

互いに熱くなってぶつかり合うようなときには，次のバトルプランを使いましょう。

　これらは簡単な作戦です。この本の中に書いたすべての方法と，その助けになるヒントが加わっています。問題となるどの行動にも，トラブルシューティングガイドに書かれたステップを使います。ただし，これらのバトルプランをうまく使うためには，この本全体を読み終わっていなければなりません。

　次のページから，以下の問題行動に対するバトルプランが書かれています。

へりくつを並べること　/　悪いことばをつかうこと
かみつくこと　/　車の中でのトラブル　/　不満
ぐずぐずしていること　/　けんか
電話や会話を邪魔すること　/　うそをつくこと
爪かみ　/　悪口・からかい　/　行儀の悪さ
だらしないこと　/　つばはき　/　すねること
口答え　/　かんしゃく　/　公共の場でのかんしゃく
告げ口　/　泣き声で訴えること

へりくつを並べること

Ó これはしてほしい行動でしょうか？
してほしくない行動でしょうか？　許し難い行動でしょうか？
▶ してほしくない。

Ó どうすべきでしょうか？
▶ 子どものへりくつは**無視**しましょう。
子どもがあなたの求めていた行動をしたら**ほめましょう**。

Ó 作　戦

1. へりくつは無視しましょう。相手にしなければ議論にはなりません。関わらないようにしましょう。
2. 子どもがたとえ不平を言いながらでも，指示に応じるようだったらほめましょう。子どもが従いはじめたら，「ありがとう」と言いましょう。
3. **ブロークンレコードのテクニック**〈→20章参照〉を試してみましょう。従おうとするまで，指示をくりかえしましょう，そうして従ったらほめましょう。

　　父：犬にえさをやる時間だよ。
　　子ども：どうしてぼくがやるの？
　　父：犬にえさをやる時間だよ。
　　子ども：僕の犬じゃないよ。

バトルプラン

　　　　父：犬にえさをやる時間だよ。
　　　　子ども：そんなこと言うのやめてよ。（ヒント：子どもが弱気になっている証拠です。）
　　　　父：犬にえさをやる時間だよ。
　　　　子ども：わかったよ。
　　　　父：ありがとう。
　4. あなたの要求に対して子どもがへりくつを言い続けたら，罰を警告しましょう。

これまでのまとめ

　子どもはいやいやながら指示に従うことが多いものです。子どもたちは満面に笑みをたたえて「はい，おかあさん」とは言いません。最大限うまくいったとしても，ちょうど聞こえるか聞こえないかぐらいで憎たらしいことをぶつぶつ言いながら，足を踏みならしながら，あなたが言いつけたことをなんとかやる程度です。そういうときこそ，シンプルに「ありがとう」と言って，子どもの努力を認めるときです。

悪いことばをつかうこと

Ó これはしてほしい行動でしょうか？
してほしくない行動でしょうか？　許し難い行動でしょうか？

▶してほしくない（ほとんど許し難い）。

Ó どうすべきでしょうか？

▶子どもの悪いことばは**無視**しましょう。
子どもが怒りを表すのに，許せる範囲のことばを使ったら**ほめましょう**。

Ó 作　戦

1. 無視。それが一番！　子どもはあなたの反応を見たいがためにしているのです．子どものことばに反応するのをやめましょう！！！
2. 使ってほしいと思うことばに肯定的な注目を払いましょう。同じ会話の中で，子どもは使ってほしくないことばも，聞き入れられることばも使います。あなたが使ってほしいと思うことばに対しては，確実に肯定的な注目を払いましょう。あるときは子どもに関心を向け，次の瞬間には静かに目をそらしている──こういうやり方は奇妙な印象を与えるかもしれません。しかし，それでよいのです。あなたは無視することで，子どもに，「悪いことばは聞かないよ」というメッセージを伝えているのです。そうすれば子どもも無駄なことを言わずにすみます。
3. ことばをふざけた調子で使うのは許しましょう。子どもがユニー

クな「おふざけことば」を作って，それを使うときにはむしろほめます。そういうことばは，怒りを弱め，かわいらしいユーモアや，悪態というよりなにか面白い雰囲気を与えます。

4. 悪いことばを無視するとあらかじめ言っておきましょう。そうして，悪いことばを使うのをやめるまで，無視しましょう。子どもはみんな，下品なことばを使い，悪いことばを使いたがります。子どもがはじめて使おうとしたときに，それを無視するととても効き目があります。

 メリンダ：クマのプーさんおしっこたれ
 祖母：それはお利口さんが使うことばじゃありませんよ。メリンダ，私の耳にはそんなことばは聞こえないよ。

5. ののしりをあなたへの当てつけととってはいけません。子どもが成長すると友だちから悪いことばを教わり，それを使うのが癖になることがあります。あなたが反応しすぎると，ののしりはふえます。やさしい口調で子どもに思い出させましょう。「スージー，私はおうちの中でそんなことばをあんまり聞きたくないわ。」彼女は意外とあっさりと，「わかったわ，お母さん」と答えるかもしれません。

6. あなた自身が子どもにたいして悪いことばを実際に使ってみましょう。親が悪いことばを使うと，子どもは滑稽に感じると思いませんか？（→訳注参照）

 ロブ：（紙の束を落として）くそ！
 父：くそ！……ロブ，私は実はこのことばがきらいなんだ。私の前では使わないように。

7. 悪いことばを耐えられないほどひんぱんに使うなら，罰金制度を設けましょう。たとえばひとつの悪いことばごとに25セントや50セントの罰金を科します（もちろん，そのことばが使われたときは，同じ基準を家族全員に当てはめます）。

8. 自分が悪いことばを使っていないか確かめましょう！　子どもは

あなたをモデルにしています。

（訳注）この項目について，訳者らは日本の親子関係では効果がないかもしれないと考え，原著者にコメントを求めました。回答は次のようなコメントでした。「無視や指示という方法を親にすすめる際に，私はそれ以外にも親にとって役立つアイディアを提供しています。項目6のアイディアは，悪いことばを親が使ってみせることで，そのことばのもつ魅力を無くすことです。私の国では，親やおとなが子どもやティーンエイジャーのスラングやファッションを取り入れると，子どもはそのスラングやファッションに魅力を感じなくなり，そういうことば使いや服装をしなくなります。日本ではこのような傾向はありませんか？」

バトルプラン

かみつくこと

Ó これはしてほしい行動でしょうか？
してほしくない行動でしょうか？　許し難い行動でしょうか？

▶（他の子どもをかむことにたいして）許し難い。
（幼児が私をかむことに対して）してほしくない。

Ó どうすべきでしょうか？

▶子どもが他の子どもをかむとき（あるいはより年長の子どもが相手がだれであろうと，かんでしまったとき）**制限を設定**しましょう。
小さい子どもが私をかむことは**無視**しましょう。
子どもが怒りをことばを使って表したり，助けを求めに来たり，他の子どもと上手に遊んだりしたら**ほめましょう**。

Ó 作　戦

1. 指示を与えましょう。それは簡単に，明瞭に，短くしましょう。「かんではいけません」。2歳や3歳の小さい子どもでは，はじめてかもうとするのを，「かんではいけない」という強い命令でやめさせることができます。いったん，ルールが確立すれば，「かんだら，お友だちを家に帰す」という一定の警告を決めるのもよいでしょう。
2. もしかむことをやめたら，ほめましょう。
「あなたとジョシュは今いい感じで遊んでいるわね，ありがとう」
「君たちがトラックでいっしょに遊んでいるのは嬉しいわ。えらい

のね」
3. もしまたかんだら，タイムアウトの警告を与えましょう。
「もし，もう一度かんだら，タイムアウトよ」
4. もし子どもがやめなければ，（子どもの年齢と同数の数分間，つまり，3歳児には3分間）タイムアウトを行いましょう。
「あなたはジョシュをかんでいる。3分間タイムアウトのイスにすわりなさい」
5. タイムアウトが終わっても，お説教をしてはいけません。
「タイムアウトは終わったわ。もうジョシュと遊んでもいいわよ」
6. 彼がかんだら，つねにタイムアウトを行いましょう（だんだん長い時間にして）。
7. タイムアウトの代わりに罰を与えてもいいでしょう。
たとえば…
もしきょうだいをかんだら，15分間ひとりで遊ばなければならない。
もしかんだら，15分早く寝なければならない。
8. できれば幼児があなたをかむのは無視しましょう。あなたが甲高い声で「痛い」と叫ぶと，その叫び声は子どもにとって大変おもしろいのです。怒って見せることも子どもの興味を引きます。反応しないようにしましょう。
9. かみ返してはいけません！ おとなならば子どもをかんでもかまわないのだと思ってしまいます。

バトルプラン

車の中でのトラブル
口論，シートベルトの拒否，金切り声

>>>>>>>>>

Ó これはしてほしい行動でしょうか？ してほしくない行動でしょうか？ 許し難い行動でしょうか？

▶ （限りなく許し難いに近く）してほしくない。

Ó どうすべきでしょうか？

▶子どもの不平，小さな口論，へりくつは**無視**しましょう。
したら／してよいという取り引き〈→16章参照〉で，シートベルト拒否や，ついたりたたいたり蹴ったり金切り声をあげたりすることに対処しましょう。
子どもが車に静かに乗って，会話に参加し，ことば遊びなどで遊べているときは**ほめましょう**。

Ó 作 戦

1. 不平を言ってもそれは無視しましょう，くだらない言い争いに加わってはいけません。
2. あなたがしてほしい行動をほめましょう。
3. したら／してよいという取り引きを使いましょう。ただ単に車を道路のわきに置いて，エンジンを切ります。なにも言いません。雑誌や地図や住所録を見ていましょう。外の鳥を探してもよいでしょう。雲をながめて動物の形を想像してもよいでしょう。すぐに子どもは，「お父さん運転してよ」と言うでしょう。「おまえが静かにしたら，

これまでのまとめ

（シートベルトを締めたら，手をちゃんと膝の上に置いたら）運転するよ」と言いましょう。静かにしたり，協力してくれたら，「ありがとう。じゃあ出発できるね」と言って，車を走らせましょう。必要とあれば，何回でも止まってこれをくりかえしましょう。あなたがこうしてほしいということを子どもに知らせるには，これはとても効果的な方法です。

4. 静かにしていたり，協力してくれたり，言うことをきいてくれたら，無視していてはいけません。静かな時間を味わっているだけではいけないのです。車の中で子どもが協力してくれたことを，あなたがどんなに評価しているかを子どもにしっかりと伝えるべきです。

5. 不満がもっともなときには，その気持ちをそのまま表現して共感しましょう。

　　子ども：永久に着かないんじゃないの。
　　父：そうだね，とっても長いドライブだね。よくがまんしてくれてるね。

バトルプラン

不 満

○ これはしてほしい行動でしょうか？
してほしくない行動でしょうか？　許し難い行動でしょうか？
▶してほしくない。

○ どうすべきでしょうか？
▶子どもが不満をぐずぐず言ったり，うるさく言っても**無視**しましょう。子どもがぐずぐず言わないで，もっともな不平をきちんと言うことができたら**ほめましょう**。

注意点：問題は，子どもがなにに関して不満かということではなく，不満であることをどう表すかです。子どもが感情を直接表現でき，それもいらいらさせないような方法で表現できるようになってほしいのです。
私たちが望まない表現は……
「ゲー，くされ野菜だ！　皿からどけろよ」
私たちが望む表現は……
「野菜をもうちょっと少なくしてほしいんだけど」

作戦

1. 子どもがていねいだったり，がまんできたり，聞き分けがよいときにはほめましょう。
2. ぐずぐず言わずに，**直接感情を表現**できたら，**共感**しましょう。
   子ども：すっごく暑いよ，お母さん。
   母：そうね，とっても暑いわね。袖をまくるのを手伝ってあげましょう。
3. 不満を言うことに対しては無視することをあらかじめ言っておきましょう。代わりになにをしてほしいのかを子どもに伝えておきましょう。「不満をぶつぶつ言っても聞かないわよ。問題があるなら，ふつうの声で言いなさい」
4. 不平に屈服してはいけません。さもないと，不満を言うのはずっと続くでしょう！ 不平は無視しましょう，そうすればおさまります。
5. 自分自身のことばに注意してみましょう。不満を言ってはいませんか？ 子どもはあなたのまねをしているのではありませんか？ もしあなた自身が不満を言っているのなら，言いたい気持ちをぐっとこらえましょう。あなたは子どもにとって，望ましい行動のモデルなのです。

ぐずぐずしていること

Ó これはしてほしい行動でしょうか？してほしくない行動でしょうか？ 許し難い行動でしょうか？

▶してほしくない。

Ó どうすべきでしょうか？

▶子どもがぐずぐずしていたり，ぼうっとしていたり，注意散漫になったり，「のろま」だったりしてもそれは**無視**しましょう。子どもがさっと課題に取り組んだり，遂行したり，やりとげたりしたら**ほめましょう**。

Ó 作　戦

1. 無視しましょう（本気で無視することです！　口やかましく言ってもなんの得もありません！）。必要なのは無限の忍耐力です。ある年齢の発達段階で多くの子どもは，きびきびと行動できないことがよくあります。怒りを表に表してはいけません。さもないともっとぐずぐずするようになるでしょう。
2. 課題にさっと取り組もうとしたり，終わらせたり，最後までやろうとしたらほめましょう（ちょっとオーバーなくらいほめてもいいですよ）。
   「すばらしいねー。宿題終わらせたね。」
   「うわー。なんて早くテーブルの用意ができたんでしょう。」
   「まあ，なんて早く着替えて来られたの。まるで新幹線みたい。」

3. レッテルを貼って決めつけたり，悪いあだ名をつけるのはやめましょう。子どもは「のろまさん」というレッテルを受け入れてしまい，ほんとうに自分はそうだと思いこんでしまいます。
4. 一日のうちのトラブルの起きやすい時間帯は，**よりよい行動のためのチャート**〈→17章参照〉を利用しましょう。そのチャートにはあなたが子どもにやってほしい課題やそれをやり終える時間を記入しましょう。子どもができそうな行動もいくつか必ず入れておきましょう。そして成功するかどうかを確かめるために，まず前もって**試験的な記録**〈→143ページ参照〉をつけてみましょう。子どもが時間どおりに行動をやりおえたら，たくさんほめてあげましょう。
5. 自分なりのゲームをつくりましょう。子どもの時間を計り，「昨日より早くできる」かどうか観察しましょう。「タイムレコード」をつけ，子どもに自己ベストに挑戦させてみましょう。そうして，彼（彼女）のスピードをほめましょう。
6. アップビートな音楽を使いましょう。私の子どもたちは，部屋の掃除をするときには好きな音楽のテープをかけます。そうするととたんに歌ったり踊ったりしながら，掃除をさっさとはじめます。
7. 子どもがあなたを驚かすのもいいでしょう。多くの子どもたちは親を驚かせることが大好きです。兄や姉にアイデアのたねまさをしくもらいましょう。たとえば，「ねえ，お母さんを驚かそうよ。速く着替えてふとんの下に隠れよう。お母さんが入ってきたらびっくりするよ！」このゲームを子どもは毎日したがります。もし子どもが隠れる前にあなたが来てしまったら，子どもはとてもがっかりします。そこがこのゲームの弱いところです。5歳以下の子どもなら，「お母さん台所にいかなくちゃ。あー，忙しい。今なにがあったかみーんな忘れちゃうわ。今度もどってきたら，びっくりしちゃうかもよ」などという手を使って，子どもたちにやり直させてやることができるでしょう。

バトルプラン

けんか

Ó これはしてほしい行動でしょうか？ してほしくない行動でしょうか？ 許し難い行動でしょうか？

▶ (くちげんか，うるさがらせること，ちょっかいを出すことは) してほしくない。

(たたくこと，けんかをすることは) 許し難い。

Ó どうすべきでしょうか？

▶ちょっかいを出し，けんかになりそうな状態は**無視**しましょう。

子どもがいっしょになかよく遊んだり，自分たちで問題を解決できたら**ほめましょう**。

たたくときは**制限**を設けましょう。

Ó 作 戦

1. 子ども同士の年齢や体格や腕力が同じくらいなら，ちょっとしたからかい，口げんか，悪口は無視しましょう。子どもたちに自分で問題に対処する機会を与えましょう。「自分たちで考えて，けんかにならない方法をみつけなさい」と言いましょう。
2. なかよく遊べたり，上手に遊べた瞬間をほめましょう。子どもが静かにしているときには，その瞬間をしっかりとらえましょう。よい状態でいる瞬間をとらえて，そのよいことに十分な注目を与えましょう。そして報酬を与えましょう。これらのことは，やるだけの価値が

これまでのまとめ

十分あります。うまく遊んでいるときにはけっして子どもを無視してはいけません。
3. 子どもに選択させましょう：「いっしょに遊びたい？　それとも別々に遊びたい？」たとえば家の中と庭というように離れた場所で、それぞれ20分間遊ぶ時間を与えてみましょう。すぐに子どもたちは別々に遊ぶことに飽きて、きょうだいで遊ぶことは案外おもしろいと思うようになるでしょう。

🔲 制限を設定する際の作戦

① 指示しましょう。シンプルに。
「けんかをしてはいけません。手を出してはいけません」
② たたくことをやめたら、ほめましょう。
「手を出さないでいられたね、よくやったね」
③ たたいたら、罰やタイムアウトの警告をしましょう。
「またたたいたら、20分間、弟（妹）とは遊べないよ」
「またたたいたら、10分間、タイムアウトをするよ」
「ふたりとも、すぐけんかをやめなさい。さもないと、今晩のテレビ（を見る時間を）10分間減らすよ」
④たたくのをやめなければ、罰やタイムアウトを与えましょう。
「弟をたたいたね。20分間、弟と遊べないよ。チャーリーは外か寝室かどっちで遊びたいか決めていいよ。あなたはチャーリーが選ばなかったほうで遊びなさい」
あるいは、
「弟をたたいたね。タイムアウトのイスに行きなさい。10分間のタイマーをセットするわ」
あるいは、

「はい，もう終わりにしなさい。ふたりともけんかをしたから，テレビを見る時間を10分減らします」
⑤罰やタイムアウトが終わったら，お説教してはいけません。単に，
「ふたりで遊んでいいよ」または
「タイムアウトは終わりよ」とだけ言いましょう。
⑥上記のようなことが一度でもあったなら，その後は，きょうだいをたたくと，必ずその罰を受けると警告しましょう。
「たたくことはだめだと決めたよね。○○（きょうだい）ちゃんをたたいたら，いつもタイムアウトだよ」
⑦たたいたことに罰を与えた後は，子どもの協力をひきだすことに集中しましょう。もし3分間でもよい状態で遊べたら，少しでも協力的なことばが聞けたら，すぐに子どもをほめましょう。私の場合は，子どもたちがよい状態でいるのを見つけたら，時々ふたりに5セント硬貨や10セント硬貨を手渡します。思いがけず，ごほうびがもらえたり，ほめられたりすると，子どもはもっとやる気になります。

電話や会話のじゃまをすること

Ó これはしてほしい行動でしょうか？
してほしくない行動でしょうか？　許し難い行動でしょうか？
▶してほしくない。

Ó どうすべきでしょうか？
▶子どものじゃまは**無視**しましょう。
子どもが「ちょっといい？」ということばを使えたら（第一段階），そしてじゃまされることなしに他の人との話が続けられたら（第二段階）**ほめましょう**。

Ó 作　戦
【第一段階】
1. じゃまは無視することをあらかじめ言っておき，それを実行しましょう。あなたの会話に集中しましょう。あなたの気を引こうとして，声を大きくしてもけっして応じてはいけません。
2. 子どもに，「ちょっといい？」と言うように教えましょう。そして他人の会話に割り込むときは必ず「ちょっといい？」と言わなければならないことを教えましょう。
3. 子どもが「ちょっといい？」と言うときだけ，注目を向けましょう。
「ちょっといい？」
「はい，マディ，どうしたの？」

バトルプラン

【第二段階】
1. 子どもに一定時間あなたのじゃまをしてはいけないと言いましょう。（2分間からはじめて15分までふやしましょう。）
「これから10分間電話するわ。タイマーをセットするわね。どうしてもお母さんに言いたいことがあったら，話しかけてもいいわよ。電話が終わったら，知らせるわね」
2. 決めた時間が終わったら，子どものところへ行き，ほめましょう。
「電話してる間，じゃまをしないでありがとう。とっても助かったわ」
3. 礼儀を教えるために，子どもの模範になりましょう。子どもが他の子と遊んでいたり電話をしているとき，ささいなことでそれをじゃましたり，「ちょっといい？」と言わずにじゃまをしてはいけません。
4. したら／してよいという取り引きを用いて，ごほうびを提案してみましょう。
「フローラさんとお話するから，その間，じゃましないでね。じゃましなかったら，後でいっしょにゲームで遊びましょう」

うそをつくこと

Ó これはしてほしい行動でしょうか？
してほしくない行動でしょうか？　許し難い行動でしょうか？

▶（時々の場合）してほしくない。

（つねにの場合）許し難い。

Ó どうすべきでしょうか？

▶子どもが本当のことを言ったら**ほめましょう**。

つねにうそを言うことには，**制限を設定**しましょう。

Ó 作　戦（予防）

1. 子どもはどうしてうそをつくのでしょう？　うその背後になにがあるのでしょうか？　ほとんどの場合，学童期の子どもは叱られたくなくてうそをつきます。子どもがうそをついたときに，どなりつけても嘘をやめさせることはできません。ますます人をだますようになるだけです。

2. 尋問を続けてはいけません。それをしたのは，子どもだとわかっていても，「あなたが水差しを壊したのでしょう？　ね，そうでしょう？」と質問を続けてはいけません。単に，「水差しを壊したのね。かたづけるのを手伝ってちょうだい」と言いましょう。

3. 子どもが「やってない」と言い張っても，言い争うのは避けましょう。無実を主張するのは子どもなりにメンツを守るためかもしれ

バトルプラン

ません（ときには，子どもは言い張っているうちに，子ども自身それが真実だと信じはじめることがあります）。次のようなことを言いましょう。「たぶん壊してないのでしょう。私がまちがっていたら，後で謝るわ。でも今は，ほうきとちりとりをもってきてちょうだい」

4. 真実を言うことに対してはほめましょう。ときには，悪いことをしたことを子どもから親に伝えることがあります。たとえば，「お母さんたぶん怒ると思うよ，僕ミルクこぼしちゃった」このチャンスに，本当のことを言ったことをほめ，正直さに報いましょう。「こぼしちゃったこと，言ってくれてありがとう。お母さんが怒るんじゃないかって心配したんだね。でもお母さんはあなたが正直なことが嬉しいわ」子どもがまだ幼いときに，このように対応したら，子どもはうそをつかないようになるでしょう。つまり，親は真実を手に入れることができるのです。

5. 次のことを忘れないでください。学童期前の空想は嘘というよりも願望の表れなのです。「そんなことが起こるといいなあと思っているのね」と言って，子どもの空想的な願望に応えましょう。

6. 真実の重要性を教えましょう。たとえば「ピノキオ」や「狼少年」の童話は，うそを言うとその結果どうなるかをいきいきと描いています。

7. 正直さの模範を示しましょう。あなた自身の過ちを認めましょう。正直にしすぎでもいいのです。子どもの前でうそをついてはいけません。さもないと子どもはあなたに対してうそを言うようになります（誰とも話したくない気分のときに，電話がかかったとしても，「お母さんは出かけています」と子どもに言わせてはいけませんよ）。

8. 子どもが良い行動をしたら必ずほめましょう。うそは注目を得る手段でもあるのです。この本のステップ2〈→35ページから〉を読み返してください。そして，注目を与えるためのすばらしい方法がたく

さんあることを確かめてください。
9. 「今日，本当のことを言う」という項目をつけ加えた**よりよい行動のためのチャート**〈→17章137ページから〉を作りましょう。もちろんそのチャートには，子どもができる行動がたくさん含まれなければなりません。
10. 指示，警告，罰（テレビを見る時間を減らす，タイムアウト）を使って，うそに対して**制限を設定**しましょう。お説教をしてはいけません。平静を保ちましょう。これらの制限設定を必要なだけくりかえしましょう。

爪かみ

○ これはしてほしい行動でしょうか？
してほしくない行動でしょうか？　許し難い行動でしょうか？
▶してほしくない。

○ どうすべきでしょうか？
▶子どもの爪かみは**無視**しましょう。
子どもが口から手を離していたら**ほめましょう**。

○ 作　戦
1. 爪かみは無視しましょう。子どもにがみがみ言うことはこの癖をふやすだけです。なぜなら，これは不安の兆候なのかもしれないからです。
2. かまないようにしている努力，たとえば口から手を離すようにひざにおいたり，手を組んだりしている努力をほめましょう。
3. 爪を短くしておきましょう。多くの爪かみは，夕方の手持ち無沙汰のときに，爪を短くしようとしておこります。
4. 子どもが爪かみをやめるのを手伝ってほしいかどうか聞いてみましょう。爪をかんでいるのを見つけたらなにか合図をするなど，ことば以外の方法で知らせることを提案してみましょう。子どもは自分がかんでいるときに気づいていないのかもしれません。批判的でなく，やさしく思い出させてくれることは，助けになる可能性があります。子どもが爪をかむのをやめたら必ずほめましょう。そして数分間見て

いて，子どもが手を口からずっと離していたらもう一度ほめましょう。
5.　テレビを見ているときやほかの爪かみがおきるときに，手を使ってなにかするように子どもに勧めましょう。たとえば，親指を動かしたり，握りこぶしをつくったり，絵を描いたりいたずらがきをしたり，編み物をしたり，トランプをきったり，ビー玉で遊んだりすることなどです。
6.　**よりよい行動ためのチャート**〈→17章参照〉を作りましょう。あなたが見ていて爪かみがおこりそうな子どもの時間帯を選びましょう。そしてその時間帯を短い時間に区切りましょう。「手を顔から離している」に対して，チャートにシールや星印を貼って，子どもをほめてごほうびを与えましょう。子どもができなくても，それは無視することを忘れないでください。批判的でない方法で思い出させ，うまくやれたらほめましょう。子どもが爪かみをしないでいられる時間がふえてきたら，一区切りの時間を長くします。

バトルプラン

悪口・からかい

これはしてほしい行動でしょうか？
してほしくない行動でしょうか？　許し難い行動でしょうか？

▶（私の悪口を言う，ばかげた悪口を言う，子どもがお互いの悪口を言うことは）してほしくない。

（残酷な人を傷つけるようなことば，差別的なことば，小さい子へのあざけりは）許し難い。

どうすべきでしょうか？

▶子どものばかばかしい悪口や，ばかげたからかいは**無視**しましょう。子どもの残酷な悪口や，人を傷つけるようなからかいには**制限を設定**しましょう。

作　戦

1. 悪口やからかいは無視しましょう。
   子どもがあなたに悪口を言ったら，注意を払わないようにしましょう。すぐに悪口を言うのがつまらなくなるでしょう。
2. 悪口を無視するために，自分の子どもとその遊び仲間に，次のようなことばを唱えることを教えましょう。
   「石は当たると痛いけど，悪口言っても平気だよ」
3. 注目を与えるときを待ちましょう．そして怒りを表すのにことばを使ったらほめましょう。

❏ 制限を設定する際の作戦

① 指示しましょう。シンプルに。
「悪口は許さない」
「からかってはいけない」
「悪口はダメ」

② もし悪口やからかいをやめたら、ほめましょう。
「悪口はやめたのね。やめてくれて、ほんとうによかったわ、ありがとう」

③ また、悪口を言ったりからかったら、警告しましょう。
「もう一度悪口を言ったら、タイムアウトよ」

④ やめなければ、タイムアウト〈→22章187ページから参照〉を実行しましょう。
「悪口を言ったね。タイムアウトのイスに8分間行って来なさい（8歳の子に対して）」

⑤ タイムアウトが終わったら、お説教をしてはいけません。家族会議（23章）のやり方を参考にして上手にやりましょう。
子どもをイスから離れさせて、「タイムアウトをちゃんとできてよかったわ」

⑥ 悪口やからかいが起きたらいつもタイムアウトをします。タイムアウトは1回ごとに1分間ずつ長くなっていきます。

⑦ タイムアウトの代わりに罰を与えてもかまいません。
たとえば：外で遊んでいたら、15分間遊びをやめて中に入らねばなりません。友だちに悪口を言ったら、その友だちに家に帰ってもらいます。きょうだいに悪口を言ったら、そのきょうだいに30分間ひとりで遊ぶ特権を与えます。悪口を言ったらその日が何曜日でも15分早く寝なければなりません。悪口を言うごとに25セントの罰金制度などです。

バトルプラン

⑧　警告を与えましょう。一度上記のようなことがあったらその後は，子どもに悪口やからかいを言ったらいつも自動的に罰を与えると伝えましょう。
「悪口は許さないことは知っているね。弟に悪口を言ったら，いつもタイムアウトになるよ」

これまでのまとめ

行儀の悪さ
>>>>>>>>>

Ó これはしてほしい行動でしょうか？
してほしくない行動でしょうか？　許し難い行動でしょうか？

▶（乱暴な言動，妨害，礼儀正しくない，「〜ちょうだい」や「ありがとう」を言わない，他の人の皿からとることは）してほしくない。

Ó どうすべきでしょうか？

▶子どもの乱暴な言動は**無視**しましょう。
ていねいに言えたり，礼儀正しい行為を**ほめましょう**。
卑劣なことや傷つけるほどの乱暴さには**制限を設定**しましょう。

Ó 作　戦

1. ていねいさやよいマナーはほめましょう。もし子どもが「〜ちょうだい」とか「ありがとう」とか「ちょっと，ごめんね」とか言えば，それに肯定的な注目を与えましょう。
2. 乱暴な要求は無視しましょう。「バターくれよ」なんて言う人にバターをとってあげてはいけません。子どもが会話をじゃましようとしたら，無視して話し続けましょう。
3. よいマナーの模範になりましょう。礼儀正しくしましょう。じゃまをしないようにしましょう。子どもにていねいに接することを早速はじめましょう。そうすれば子どもはあなたのまねをするでしょう。
4. あなたがしてほしいことをはっきりと具体的に指示します。

バトルプラン

「電話をとったら，『はい，○○です。どちらさまですか？』と言うのよ」
5. はっきりとした指示で制限を設定しましょう。
「人の食事のじゃまになるから，人の皿の上に手を伸ばしてお塩をとってはいけません」
「他の人が話しあっている最中に，もし用事があるなら，『ちょっといい？』と声をかけてからにしなさい」
6. 現実的に考えましょう。行儀よくふるまうことを思い出させるために，子どもには１，２度うながすことが必要です。
7. 子どもがうまくふるまえたら，ほめることで，それを続けさせましょう。
8. 友だちの家にいるときの子どもの行動をきいてみましょう。すばらしいマナーに驚くことがあります。多くの子どもは親がいないときの方が，正しくふるまえるのです。子どもに，とても嬉しいことが聞けたと伝え，親として誇りに感じることをしっかりと伝えましょう。
9. あなたに対しての行儀がひどくなってきても無視しましょう。腹をすえてがまんしましょう。
10. 他の子どもに対する行儀の悪さが度をこしたら，悪口のバトルプランから制限設定の作戦を使いましょう〈→239ページ参照〉。

だらしないこと

Ó これはしてほしい行動でしょうか？
してほしくない行動でしょうか？　許し難い行動でしょうか？

▶（服を脱ぎ散らかす，おもちゃを家中に散らかすことは）してほしくない。

（ずっとがまんをしてきたがもう限界だという場合）許し難い。

Ó どうすべきでしょうか？

▶ぐずぐずしている，不満を言う，努力が足りないなどは**無視**しましょう。

ものを拾い集め，かたづけようとすればどんな行為でも**ほめましょう**。

状況が許し難くなったら，**制限設定**をしましょう。

Ó 作　戦

1. どんなにわずかでも努力はほめましょう。
　「今朝は服をかごに入れられたね，よかったわ」
　「ベッドをきれいにしてくれてありがとう」
　「今週はあなたの部屋をきれいにしておけたね。すばらしいわ」

2. がみがみ言ってはいけません。無視するだけでは，だらしなさをなおせませんが，だからといって，がみがみ言っても子どもは，きちんとできるようにはけっしてなりません。

3. 部屋を整理させる際には，子どもが取り組めるように，やるべき

バトルプラン

ことを小さくわけましょう（7章を見てください→61ページ）。小さな努力をほめましょう。ひとつひとつできたことにごほうびを与えます。そのごほうびは，たとえば録画しておいたビデオの漫画の一作を見れるというようなものです。一作目の漫画が終わったら次にやるべきことをやらせます。

4. **したら／してよいという取り引き**は，私の子どもたちが，すすんで部屋を整理する方法の一つです。

   わが家でもっともうまくいったのは「あなたたちが11時までに部屋をきれいにしたら，午後，子猫を探しにペットショップに行くわよ。ただし，かたづけはクローゼットも含めてよ」と予告した日でした。あなたに，毎日，新しい子猫を飼うようにすすめているわけではありません。なにしろ私のふたりの子どもが，これまでで最高に早くきれいに部屋をかたづけたのは，その日だったのです。

5. したら／してよいという取り引きはこのように使うとよいでしょう。
   子ども：遊びに出かけていい？
   親：おもちゃをかたづけたら，出かけていいよ。

6. **よりよい行動のためのチャート**〈→17章参照〉を作りましょう。
   チャートの項目は次のようなものがよいでしょう：
   学校に行く前にベッドをかたづけましょう。
   朝と夕方には洋服をかごに入れておきましょう
   床におもちゃがないようにしておきましょう。
   机の上とタンスの中を整えておきましょう。
   コートやカバンをかけておきましょう。

7. もしすべてうまくいかなかったら，**罰の警告**〈→180ページ参照〉をつかいましょう。

8. 整理整頓の模範となりましょう。子どもはあなたのするようにするものです。

これまでのまとめ

つばはき

Ó これはしてほしい行動でしょうか？
してほしくない行動でしょうか？　許し難い行動でしょうか？
▶許し難い。

Ó どうすべきでしょうか？
▶つばはきに対して**制限を設定**しましょう。

Ó 作　戦
1. つばはきは，人を傷つけはしませんが，嫌悪感をおこさせます。ほとんどの人は許し難いと感じます。そこで制限を設定したいと思います。
2. 指示しましょう。シンプルに。
   「つばはきはだめです」
   2歳や3歳の小さい子どもがはじめてつばはきをするときには，「つばを吐いちゃ，ダメよ」と強く指示することでやめさせることができるでしょう。
3. もしつばはきをやめたら，ほめましょう。
   「つばはきをやめたね，ありがとう」
4. もう1度つばはきをしたら，警告しましょう。
   「もう1回つばをはいたらタイムアウトよ」
5. それでもやめなければ，タイムアウトを行います。
   「またつばをはいたね。5分間タイムアウトのイスにすわりなさい」

バトルプラン

タイムアウトが終わったら，お説教してはいけません。
　　　「タイムアウトが終わってよかったわ。」
　　つばはきが起こるごとに，タイムアウトの時間は1分ずつ長くなります。
6.　タイムアウトの代わりに罰を与えてもいいでしょう。たとえば：
　　外で遊んでいたら…15分間遊びをやめて中に入らなければなりません。
　　友だちにつばをはいたら…友だちに家に帰ってもらいます。
　　きょうだいにつばはきをしたら…きょうだいに，30分間ひとりで遊ぶか，あるいは他のへやで遊ぶ特典を与えましょう。つばをはいたらいつでも，15分早く寝なければなりません。
7.　警告を与えましょう。子どもがつばはきをしたら必ず罰が与えられます。
　　　「つばはきは許しません。つばをはいたらいつでもタイムアウト（あるいは罰）になるわよ」

これまでのまとめ

すねること
»»»»»»»»»

**Ó これはしてほしい行動でしょうか？
してほしくない行動でしょうか？　許し難い行動でしょうか？**
▶してほしくない。

Ó どうすべきでしょうか？
▶子どもがすねるのは**無視**しましょう。
子どもがあなたのところへやってきて，自分の気持ちを話したら**ほめましょう**。

子どもがすねてもうるさくはありません。しかし，子どもがベットやソファーの上でだらしなくねそべっていたり，口をとんがらして，明らかにつまらなそうにして，でもなにが不満かを言おうとしないで，ぐずぐずしていたら，とてもいらいらさせられます。親としてなにもしてやれないという気持ちになります。

Ó 作　戦
1.　すねても無視するとあらかじめ言っておきましょう。子どもが話したければ，よろこんで相談にのると伝えておきましょう。しかし，あなたに話しかけたくなければそっとひとりにしておくとも伝えましょう。
2.　子どもがすねるのをやめて，なにに悩んでいるのかを話そうとしたら，（子どものトラブルに耳を傾けて）**肯定的な注目**を払いましょう。

バトルプラン

3. 感情をことばで表すことが悩みの解決に役立つことを子どもに教えましょう。あなたにあるいは他のだれかに話すこともできるし，日記や手紙を書くのもいいし，同じような悩みをもつ少女の物語を書くのもいいと伝えましょう。自分の気持ちを振り返ることができると，気分が前よりもずっと軽くなると教えてあげましょう。
4. アドバイスするよりも**共感**しましょう（子どもの気持ちを支持します）。感情に耳を傾け，あなたが気持ちを理解できたら，そのことを知らせましょう。アドバイスは子どもが望むときだけに与えましょう。もしあなたがよい聞き手であるなら，子どもはあなたに助けをもとめてだいじょうぶだとすぐにわかるでしょう。そしてすねることもやめるでしょう。
5. 子どもがすねることはふつうのことです。いわば，間接的に助けを求めているのです。しかし，それが抑うつ状態の兆候かどうかは注意して判断する必要があります。たとえば食事の量や睡眠時間の極端な増加や減少，体重の減少や増加，活気や活力の欠如，やることに興味をなくす，学業の不振。これらは見逃せない兆候です。そのときには医者や精神保健の専門家に相談をすべきです。

口答え

これはしてほしい行動でしょうか？ してほしくない行動でしょうか？ 許し難い行動でしょうか？

▶してほしくない。

どうすべきでしょうか？

▶子どもの口答えは**無視**しましょう。
子どもがあなたが求めるような行動をしたら**ほめましょう**。

作 戦

1. 口答えは無視しましょう。
    母：犬に餌をやる時間よ。
    子ども：なんであたしがやるの？
    母：(レンジの方を向いて) 足りなかったら, 後ろの棚にまだ餌はあるわよ。
2. 注目を与える機会を待って, 子どもが従おうとする行動をほめましょう (注目を与えましょう)。
    母：犬に餌をやる時間よ。
    子ども：(大きくため息をつく) 私の犬じゃないわよ (しかし台所へやってくる)。
    母：(ため息と口答えを無視して) ありがとう, シルビア。
3. 口答えは無視するということをあらかじめ言っておきましょう。

バトルプラン

「シルビア，これからは口答えしてもだめよ。今，あなたに犬の餌をあげてほしいの。」

4. 罰の警告をしましょう。たとえば，あなたの家では，子どもは学校のある日にテレビを夜1時間半観ていいことになっているとします。さて，あなたは子どもにゴミ箱を空にするように言います（ゴミ箱はあふれていて，ゴミ箱を空にするのは彼の仕事です）。

父：フランク，ゴミ箱を空にしなさい。

フランク：なんでぼくが？

父：それは口答えだよ，フランク。ゴミ箱を空にしてほしいと言ったんだよ。

フランク：お父さんすれば。

父：このままにしていれば，今晩のテレビの時間を5分少なくするよ。

フランク：このままってなにを？

父：5分間だよ。

フランク：どうぞお好きなように。

父：じゃあ10分間だよ。さあ，ゴミ箱を空にしてください。

フランク：不公平だよ。他の人はなにもしてないじゃないか。

父：15分間だよ。

フランク：わかった，わかったよ。くそっ，ゴミ箱を空にすればいいんだろ。（足を踏みならして）

父：ありがとう，フランク。（足を踏みならしていることは無視する。そしてフランクの顔をたてお礼を言う。）

5. あなたの子どもが不満をもっていても，そのことを議論する前にまず要求に従わせましょう。次のようなことを言いましょう。

「ゴミ箱を空にしたら，その問題について話しあおう」

これまでのまとめ

💡 **覚えておきましょう**　5歳頃の子どもたちは親に口答えします：「どこのだれがそう言ったの？」「なぜぼくがしなきゃいけないの？」「どうしてお母さんじゃないの？」「だれも気にしないよ？」などなど。これらを完全に無視することは，子どもが求めているあなたの反応，たとえば怒ったり，罰をあたえたりする反応を変えることです。そうすれば口答えは少なくなるでしょう。無視は口答えに効果的です。なぜなら，口答えの目的はあなたの反応が得たいからです。口答えに応じないようにし，口答えを続ける意味をなくしましょう。

バトルプラン

かんしゃく

Ó これはしてほしい行動でしょうか？
してほしくない行動でしょうか？　許し難い行動でしょうか？
▶してほしくない。

Ó どうすべきでしょうか？
▶子どものかんしゃく（怒り，金切り声，けりなど）を**無視**しましょう。子どもが**感情をことばで表現**できたら**ほめましょう**。

Ó 作　戦

1. かんしゃくを無視しましょう。他のなにかに焦点を合わせましょう。
2. かんしゃくは無視するとあらかじめ言っておきましょう。
   親：（静かに子どもの耳元で）サム，私はあなたがけっている間はあなたの言うことは聞きませんよ。やめたら，お話しできるからね。
3. 怒りをことばで表現できたら（それに注目をして）ほめましょう。
   子ども：（けったり金切り声をあげたりするのをやめて）お母さんなんて嫌いだ。悪いお母さんだもん。
   母：お母さんにとっても腹を立てたのね。あなたははさみがほしかったんでしょう。でもお母さんがだめと言ったのよね。
   子ども：そう（ふくれっ面をして）。はさみがほしいの。
   親：お母さんはあなたが口で言えたのが嬉しいわ。あなたがすごく怒っていたのがわかったわ。切るのを手伝ってあげるわね。でも

ひとりではさみを使うのはだめよ。
4. 自分自身を励ましましょう。
　　「私は彼より長くがまんできる。彼は子どもだ。私は親だ」
5. 静かに部屋を離れましょう。子どもが静かになるまで，外にいましょう。
6. もし小さな子どもが怒って，床に頭を打ちつけたら，静かに頭の下に枕やあなたの手を置きましょう。できるだけ穏やかな態度で，かんしゃくを無視するようにしましょう。
7. 年長の子どもがまだかんしゃくをおこすなら，それは子どもがもっと小さいときにあなたがそのかんしゃくに屈していたからです。
　　家族会議〈→23章参照〉をもちましょう。子どもが（人にどなったり，枕をなぐったりして）怒っているときに，してもよいことを子どもに教えましょう。しかし，子どもがことばで自分の気持ちを表現しないかぎりは耳をかさないと言っておきましょう。子どもが話そうとしたら，喜んで聞きましょう。

　覚えておきましょう　2歳から4歳のほとんどの子どもはかんしゃくをおこすものです。かんしゃくをできるだけ小さいものにするために，つねにかんしゃくを無視しましょう。叫び声でなくことばで言えたら，子どもに注目を与えましょう，そうすれば，子どものかんしゃくは減っていくでしょう。5歳までには子どもが自分の感情をことばで表せるようにしたいものです。

バトルプラン

公共の場でのかんしゃく

Ó これはしてほしい行動でしょうか？ してほしくない行動でしょうか？ 許し難い行動でしょうか？

▶（私に向かってのかんしゃくは）してほしくない。
（他の人たちのじゃまになるようなら）許し難い。

Ó どうすべきでしょうか？

▶私への子どものかんしゃくは**無視**しましょう。
子どもが怒りをことばで表現し公共の場で協力をしたら**ほめましょう**。
子どものかんしゃくが他の人のじゃまをする場合，**制限を設定**しましょう。

Ó 作　戦

1. あなたはかんしゃくを無視することを（目を見て）しっかり伝えましょう。
「あなたが不平を言っても聞かないからね。向こうで雑誌を読んでるからね」

2. かんしゃくを無視しましょう。子どもを視野の隅に入れながら，なにか他のものに注目しましょう。あなたの周りのおとなと話をして，子どものかんしゃくを無視しましょう。笑顔にもどって，「子育てはおもしろい？」などちょっとした会話をしてみましょう。息を深く吸って落ち着きを取り戻しましょう。子どもが自分自身で平静さを取

り戻そうとするまで，あるいは感情をことばで表そうとするまで，子ども以外のなにか他のものに注意を向け続けましょう。子どもが平静になったり，ことばで訴えることができたら，それをほめましょう。
3. 子どもが平静にならなければ，罰を警告しましょう。ちょっと待って，子どもに自分でコントロールを働かせるための機会を与えましょう。どのような試みでも自分自身を落ち着かせたり，感情を表すことばを使えたらほめましょう。

 親：ちゃんと立って，ことばを使いなさい，さもないといっしょに家へ帰らなければならないわよ。

 子ども：（かんしゃくをやめて，ぐちぐち言うがことばを使って）でも僕はクッキーがほしいよ。

 親：ちゃんとお口で言えたわね。クッキーがほしいのね。今晩のデザートはそのクッキーにしましょう。

4. 罰やタイムアウトを最後までやりとげましょう。

 a. 警告：けったり金切り声をあげたりするのをやめなければ，いっしょに家にかえります。

 b. 子どもの顔をたてて，あなたの指示に子どもが応じられるように，しばらく待ちましょう。

 c. もしかんしゃくが続いていたら，罰を最後までやりとげましょう。しっかりとした口調で言いましょう。「まだけっているわね。もういっしょにお家へ帰らなければならないわよ」静かに，その部屋か建物のドアの方へ歩いていきましょう。視線を合わせてはいけません。怒りを隠すためにあらゆる努力をしましょう。他のことに気を取られているふりをしながら，子どもからあなたが見える場所で待ちましょう。子どもは気まずくてすぐには走り寄れないかもしれませんが，それでもあなたの後を追ってくるでしょう。彼が近くに来たら，「ありがとう」と言い，建物から出て，

バトルプラン

子どもと家に帰りましょう。くどくど言うのはやめましょう。あなたが好ましいと思う行動に注目を向けるだけにしましょう。
5. もし，子どもがあなたを追わなかったり，また小さい子の場合には，子どもを他の部屋，たとえば，トイレとか階段のホールとか建物の外，あるいは車に連れていきましょう。子どもはけったり金切り声をあげたりするかもしれません。気を引き締め，平静さを保ちましょう。そして**タイムアウト**を行いましょう。
6. もっと年長の子がかんしゃくをおこし，公共の場から離れようとしなければ，子どもに次のように選択させましょう。
  親：今静かに私といっしょに来るか，15分早く寝るか。どっちを選ぶ？

覚えておきましょう 家庭で制限を設定できるなら，公共の場所でもそれができるはずです。出かける前に心の中で，起こりうることとやるべきことを考えておきましょう。そして罰は最後までやりとげましょう。周囲の人々を気にするのはやめましょう。**トライアルラン**のやり方〈→205ページからを参照〉をみて復習しましょう。

告げ口

Ó **これはしてほしい行動でしょうか？
してほしくない行動でしょうか？　許し難い行動でしょうか？**

▶してほしくない。

Ó **どうすべきでしょうか？**

▶子どもの告げ口は**無視**しましょう。
子どもが他人とのトラブルを自分で解決したり，他人事に口出ししないことを**ほめましょう**。

Ó **作　戦**

1. 告げ口は無視しましょう。あなたが告げ口に興味がないということを，子どもに知らせる簡単な方法は，単純に「ふーん」とか「あっ，そう」とか言ってなにかほかのことに注意を向けることです。

2. 自分で問題を解決することをほめましょう。子どもたちが問題を解決しようとがんばっているのをみたら，大いにほめましょう。

3. しかし，相手に暴力で返すぐらいなら，言いつけにくる方がまだましです。もし子どもが怒って手をだしそうになったら，相手の子との問題を解決するのに，あなたが手を貸してもいいと言って，話を聞いてあげましょう。

4. 互いに不平を言い合ったり，ふたりが言いつけ合いに来るようなら（ふたりの子どもがあなたのところへ走ってやってきて，どっちが正し

いか決めてよと言う)、「ふたりで解決しないといけないよ」という簡単な一言でそれを減らすことができます。言い争いが収まりそうになかったら、**選択**〈→14章119ページからを参照〉をするように言いましょう。

　「ふたりとも怒っているのだから、別々に遊ぶ、それともいっしょに遊ぶ？」こういう選択を迫られたら、たぶん彼らはいっしょに遊び続けることを選ぶでしょう。

これまでのまとめ

泣き声で訴えること

Ó これはしてほしい行動でしょうか？
してほしくない行動でしょうか？　許し難い行動でしょうか？
▶してほしくない。

Ó どうすべきでしょうか？
▶子どもが泣き声でぐずぐず言うのは**無視**しましょう。
子どもがふつうに聞こえる声で話すのを**ほめましょう**。

Ó 作　戦

1. 泣き声でぐずぐず言うのは（なにかほかのものに注目を向けて）無視しましょう。腕時計の秒針の動きを数えるとか，ほかのことに注意を向けましょう。あるいはかけ算の九九を思い出すようにするとか……
2. 了どもがふつうの声で訴えるまで待ちましょう。そしてほめましょう。
「今の声が好きよ。なんだかお姉さんになったみたいに聞こえるよ」
3. 泣き声でぐずぐずと訴えるのは無視をするとあらかじめ言っておきましょう。
「泣きながらぐずぐず言っても聞かないわよ。ふつうの声でお話できたら，お話しましょうね」
4. どうすべきか思い出せるようにちょっとしたヒントを使ってみましょう。
「なんだか変な声ね。私の耳がおかしくなったのかしら」

バトルプラン

5. してほしい行動に向かっているものなら，どんな小さなステップでもほめましょう。ふつうの声で話そうとしているどんな試みでもほめましょう。
「ありがとう，メリンダ，お姉さんたちと同じように話そうと一生懸命ね。それがよくわかるわよ」
6. 家の中のおとな全員をチェックしてみましょう。言いなりになったり，いらいらを見せたりして，子どもが泣き声で訴えるのをだれか助長していませんか？ みんなで協力して，無視しましょう！
7. **よりよい行動のためのチャート**〈→17章参照〉を作りましょう。チャートの項目はやがてふえていき，具体的な行動に結びついていくでしょう。成功を確かなものとするために，前もって**試験的な記録**〈→143ページ参照〉をつけましょう。ふつうの声で言おうとすることはどのようなことでも確実にほめるようにしましょう。まる一日，チャートを使っていなければならないということではありません。一日の一部分でも注目を向けて成功をほめてあげると，肯定的な雰囲気ができ一日中よい行動ができると思います。
8. 自分自身をふりかえってみましょう。ときにはなにか泣き言をぐずぐずと言っていませんか？ 子どもはあなたのまねをしますよ。

🍶 **覚えておきましょう** 多くの子どもは3歳ぐらいまで，泣き声でぐずぐず言う段階があります。もし，つねにあなたが無視をして，ふつうの声で話すことをほめていれば，子どもは泣き声で訴えるのはやめるでしょう。あきらめて許してはいけません！

これまでのまとめ

訳者あとがき ──著者紹介にかえて

　まったくのところ，子どもはわがままで，寄るとさわるとけんか騒ぎ，うるさくて，汚しやでもんくばかりいい，叱れば泣く，わめく，すねるetc,手に負えない存在です。日頃家族の中でバトルが繰り返されている家族の生活を少しでも平和的に過ごせるように，は私たちの願いであります。さてこの訳本の原題は "Win the Whining War & Other Skirmishes"であり，副題として "family peace plan"「ファミリー・ピースプラン」とつけられているのがなんとも嬉しいではありませんか。本書は特にADHDの子どもをもつ親を対象に書かれたものではありませんが，日々しつけに困難している ADHD をもつ子の親にはたいへん参考になると思い翻訳にとりかかりました。

　お読みいただいておわかりのように，親をはじめ子どもたちのまわりにいるおとなにとって扱いにくい，育てにくい子どもたちがより好ましい行動がとれるように，そして好ましい行動をふやすように具体的な対処の仕方が順を追って構成されています。

　さまざまなアイデアを駆使し，子どもの主体性を大切にしながら，協力的にしかも断固として向き合いつつ子どもも親も自分への信頼と自信を強化していけるやりかたです。これらの対処方法は行動療法理論による行動変容をベースに作成され，研究と臨床実践に裏打ちされたプログラムなのです。

　ADHDをもつ子どもたちは明るくて，人なつこくて，おしゃべり大好きで，おもいがけない発想で遊びを創造し，展開する楽しい子どもたちなのですが，1時間ほどの心理テストや行動観察を終えるとセラピストもぐったりしてしまうほどエネルギッシュです。さぞかしご家庭ではたいへ

んな日常があるであろうことは容易に想像がつきます。ご家族で絶えることなく繰り広げられる悶着（もんちゃく），学校や近隣から毎日のように持ち込まれる苦情，一生懸命に育てているのに効果がみられず，しつけのできないだめな親とみなされる。親たちはどうやって対処したらよいのか混乱し，疲労困憊（こんぱい）し，自信喪失して自己不全感に苛立つ。子どもへの拒否感と怒りを抱く自分を責め，その苦しさを子どもに当たるといった負の循環が生じている状況がどのご家庭からも共通に語られます。私たちは親の苦しさや悩みを受け止めるだけではこの苦境を打開することは困難であり，もっと有効な援助ができるようにしたいと痛感していました。

　そこで，UCLA の永年にわたって行っている ADHD の子どものグループプログラムとペアレントトレーニング・プログラムを学ぶため，訪問することにしたのです。1週間の短い研修期間でしたが UCLA の精神神経研究所でのいくつもの講義や臨床場面の見学，ADHD を持つ子どもの学校，ＬＤのある子どもの学校などを訪問し，多くの収穫がありました。

　なかでもシンシア先生との出会いは最も幸運なものでした。初めてお目にかかったシンシア先生は大柄な，くるくる巻き毛の美人で，何よりも人なつこさが全身に溢れ，温かく，オープンなお人柄がすぐにわかりました。先生はソーシャルワーカーでおられ，上司である Dr. フランケルの構築する理論の実践者として車の両輪の一方を担っておられます。この折にシンシア先生が「Win the Whining War & Other Skirmishes」とこれより前に著された「The Answer is NO」（邦訳『きっぱり NO! でやさしい子育て』明石書店刊）という2歳から12歳の子どもをもつ親に向けた2冊をプレゼントしてくださったのです。シンシア先生はご自分のペアレントトレーニング・プログラムのセッションに快く同席させてくださいました。先生の説得力のある講義，そしてロールプレイでは親になったり子どもになったり，抜群の演技力で何かユーモラスな味もあって楽しく，エネ

ギッシュなセッションなのでした（後に教えていただいたのですが，それもそのはず。先生は20代のはじめまでは俳優を志望されて演劇の勉強されていたとのこと）。

　このときすでに上林靖子部長はシンシア先生を私たちの研究所にお招きして直接ご指導を受けることを心に決めていたのです。私たちの要請にシンシア先生は「自分の人生においてこのような機会がくるなどと考えてもみなかったこと」とたいそう驚き喜んでくださいました。そして翌年、私たちが第1回目のペアレントグループトレーニングを終了し、第2回目のグループを開始して間もなく、シンシア先生をお迎えすることができたのです。私たちが行っているADHDの子を持つ親のためのペアレントトレーニングのグループセッションに参加していただいたり、スーパービジョンや、連続講義をしていただきました。また千葉、奈良でのワークショップはいずれも大勢の参加があり、好評を博したのは言うまでもありません。

　シンシア先生から学ぶことは多く、その後の私たちの行っているペアレントトレーニング・プログラムに実に多くの示唆をいただきました。翻訳にあたっては魅力あるシンシア先生のセッションのもつ雰囲気を表現したいと心がけたつもりですが、日米の子ども観、親子関係、あるいはおとなと子どもの関係の違いによるのでしょうか、米国の日常のやりとりを日本の日常会話に表現することの難しさに悩まされました。

　仕事を離れたシンシア先生のお人柄についてご紹介しましょう。キャリアについてはシンシア先生ご自身がまえがきに触れられておられるので省略します。先生は大学生のお嬢さんと高校生の息子さんの二人をとても愛し、誇りに思っておられる母親でもいらっしゃいます。日本滞在中、光栄にも我が家にお迎えすることになったのですが、まったく英会話のできない私と夫は失礼のないように、先生がお困りにならないようにどうしたら

訳者あとがき——著者紹介にかえて

よいものか不安と心配でいっぱいだったのです。しかしそこはソーシャルワーカー同士、人間同士なんとかなるでしょうと覚悟を決めたのでした。それからは辞書を片手にパントマイム。その姿にお互い大爆笑。シンシア先生の見事としかいいようのない察しの良さと相手にそれと感じさせない心くばりや気遣いによって助けられたのです。通勤の電車の中でも誰かと視線が合うとにっこりと微笑み、子どもを幼稚園に迎えに行く我が家の向かいのママと一緒にグッドチャンスとばかりに同行したり、おひとりで迷路のような秋葉原駅で乗り換えて江戸博物館に行かれたり、はたまた電車の中で知り合ったというアメリカの女性と夕食の約束をしてこられたり、雨上がりの帰り道には傘を小道具に歌い踊り出したり、薪能を観た帰りには能のすり足のまねをされたりと天衣無縫。反面、ご子息のカイルさんを想って思わず涙ぐまれるかと思うと、ご家庭や上司や友人にメールをせっせと送り、返信がないと「だれもわたしを愛していないんだわ」とがっかりされたり。いよいよ帰国の数日前には持参されたおみやげとラッピング用の包装紙、リボン、セロテープ、のり、はさみ、カードなどなど、部屋いっぱいに広げて、あの人にはこれを、とひとりひとりを思い浮かべては、ラッピングにも工夫しておられる先生の細やかさと誠実さはもとより、1，2回しか会っていない10人をこえる相談室のスタッフの顔と特徴をすっかり覚えてしまっておられるのには本当に驚かされました。真に自律的である人とは、こんなに自由でチャーミングな有り様なものなのだなと深く感じたのでした。シンシア先生のセッションが魅力的なわけはこういうことだったのです。

　シンシア先生との1カ月は私にとってかけがえのない出会いであり、共に過ごした時間は私の生涯の宝物となりました。

　最後になりましたが、私たちがUCLAを訪問するにあたっては、UCLAに留学中でいらした奈良県立医科大学（当時）の岩坂英巳先生のお

力のお陰と深く感謝いたします。先生は留学を終えご帰国を目前にしたお忙しい時でしたのに講義、見学の綿密な計画をたてコーディネイトして下さいました。一週間の滞在を最大限に生かすことができましたことはひとえに岩坂先生のご尽力によるものとお礼と感謝を申し上げます。また、こうした機会を積極的に推進して下さり、あとがきを記す光栄を与えてくださいました上林靖子部長と、監修の任を引き受けてくださいました尊敬する同僚の中田洋二郎氏に感謝を、そして、シンシア先生のワークショップに私たちと一緒に参加された編集者の阿部真紀さんが出版の労をおとりくださったことは存外の喜びです。こころよりお礼申します。

　2002年2月

　　　　　　　　　　　　　　　訳者を代表して　　藤井和子

索 引

ア

うそをつくこと 233-235
大きな仕事を小さく分割する
 61-67

カ

家族会議 153, **195-199**, 253
かみつく 220-221
かんしゃく 77, **252-253**
 公共の場での—— 203
感情表現
 直接に感情を表現する 225
 感情をことばで表現 252
 共感 225, 248
記録
 試験的な
  143-144, 227, 260
 正式の—— 144-145
行儀の悪さ 241-242
子どもの協力をひきだす 109-115
ぐずぐずしていること 226-227
口答え 249-251
車のなかでのトラブル 91, **222-223**
警告と結果としての罰 153,
 179-184
けんか 228-230

交換条件 198
公共の場で制限を設ける 153,
 201-209
交渉 197
行動
 ——を変化させる 76
 してほしい—— 15, 27,
  28-29, 33, **35-72**
 してほしくない—— 15, 27,
  29-30, 33, **75-115**
 許し難い——
  15, 27, 30-31, 33,
  153-209

サ

指示 153, **165-171**
したら／してよいという取り引き
 117, **131-134**, 190, 203, 222, 244
すねること 246-247
制限を設ける
 15-16, 121, 153, **155-158**, 163,
 235
選択させる 117, **119-122**, 258
 第3の可能性を—— 120

索引

タ

タイムアウト　153, **187-193**, 202, 208, 239, 256
　　公共の場で――を使う　203-205
妥協　197
ターゲット行動　86
だらしないこと　243-244
注目　21-25
　　――を取り去る（取り除く）　15, 25, **75-83**
　　肯定的な――　15, 21, 35, **37-38**, 247
　　否定的な――　22
告げ口　257-258
つばはき　245-246
爪かみ　236-237
電話や会話のじゃまをする　91, **231-232**
特典　131, 133
　　――を取り上げる　202
トークン　145
トライアルラン　**205-209**, 256
トラブルシューティングガイド　211, **212-213**

ナ

泣き声で訴えること　259-260

ハ

罰　153
　　――の警告　180, 244
　　短期間の――　181
バックアッププラン　192
バトルプラン　15, 211, **214**
不満　224-225
ブロークンレコード・テクニック　153, **173-176**, 215
へりくつ　173-176, **215-216**
報酬　153
ほめる　37-52, 109
　　――ことを習慣にする 56-58
　　価値観や性格にかかわる行動を――　69-71
　　ひとつの課題を部分ごとに――　64-66

マ

無視　16, **75-83**, 226
　　――することを予告する　81
　　反射的に――する　103

（──の）アクションプラン
　　94 - 101
　──を習慣にする（練習）
　　103 - 106
無視とほめることの組み合わせ　80,
　86-87, 103-107, 109, 111, 203

ヤ

予告　117, **125-128**
　──と命令（言いつけ）の組み合わせ
　　127
よりよい行動のためのチャート
　　117, **137-151**, 227, 235, 237, 244,
　　260

ワ

悪いことばを使うこと　217-219
悪口・からかい　238-240

【著者紹介】

シンシア・ウィッタム（Whitham, Cynthia）
アメリカ、ＵＣＬＡ（カリフォルニア大学ロサンゼルス校）神経精神医学研究所スタッフ。クリニカル・ソーシャル・ワーカー。
（→詳しくは「訳者あとがき──著者紹介にかえて」「日本語版へのまえがき」をご覧ください）

【訳者紹介】　〔　〕は専門領域　◎は訳出担当

上林靖子（かんばやし・やすこ）〔児童精神医学〕　◎ステップ１・２
前国立精神・神経センター精神保健研究所　児童・思春期精神保健部部長
現在、まめの木クリニック　院長
著書：『スクールカウンセリング入門』（監修、1998、勁草書房）
　　　『AD/HDとはどんな障害か』（編著、2002、少年写真新聞社）
　　　『きっぱりＮＯ！でやさしい子育て』（監修、2003、明石書店）ほか

中田洋二郎（なかた・ようじろう）〔発達臨床心理〕　◎ステップ３および監訳
立正大学心理学部教授
著書：『ＡＤＨＤをもつ子の学校生活』（監訳、2000、中央法規出版）
　　　『AD/HDとはどんな障害か』（共著、2002、少年写真新聞社）ほか

藤井和子（ふじい・かずこ）〔ソーシャルワーク〕　◎ステップ４
前国立精神・神経センター精神保健研究所　児童・思春期精神保健部客員研究員
現在、まめの木クリニック　ケースワーカー
著書：『子どもを愛せないとき、愛しすぎるとき』（1994、大月書店）
　　　『AD/HDとはどんな障害か』（共著、2002、少年写真新聞社）
　　　『きっぱりＮＯ！でやさしい子育て』（監修、2003、明石書店）

井澗知美（いたに・ともみ）〔臨床心理〕　◎ステップ５
国立精神・神経センター精神保健研究所　児童・思春期精神保健部研究生
中央大学文学部非常勤講師を経て、現在、大正大学人間学部専任講師
著書：『AD/HDとはどんな障害か』（共著、2002、少年写真新聞社）
　　　『読んで学べるADHDの理解と対応』（共訳、2005、明石書店）

北　道子（きた・みちこ）〔小児神経学〕　◎これまでのまとめ
国立精神・神経センター精神保健研究所　児童・思春期精神保健部室長を経て、
現在、心身障害児総合医療療育センター医長
著書：『AD/HDとはどんな障害か』（共著、2002、少年写真新聞社）
　　　『読んで学べるADHDの理解と対応』（共訳、2005、明石書店）

※国立精神・神経センター精神保健研究所児童・思春期精神保健部では、この本で紹介されている方法をもとに、ＡＤＨＤをもつ子どものためのグループ、ペアレントトレーニングがおこなわれており、訳者は全員その実践にたずさわっている。

読んで学べるADHDのペアレントトレーニング
——むずかしい子にやさしい子育て——
2002年3月29日 初版第1刷発行
2024年2月20日 初版第38刷発行

■ 著 者 ■
シンシア・ウィッタム
■ 監訳者 ■
中田洋二郎

■ 発行者 ■
大江道雅
■ 発行所 ■
株式会社 明石書店
〒101-0021 東京都千代田区外神田6-9-5
TEL 03（5818）1171
FAX 03（5818）1174
振替 00100-7-24505
URL https://www.akashi.co.jp/

組版　明石書店デザイン室
印刷　株式会社 文化カラー印刷
製本　協栄製本株式会社

（定価はカバーに表示してあります）
ISBN 978-4-7503-1552-2

発達障害事典
パスカル・J・アカルド、バーバラ・Y・ホイットマン編
上林靖子、加我牧子監修
◎9800円

むずかしい子を育てる、ペアレント・トレーニング
野口啓示著 のぐちふみこイラスト
親子に笑顔がもどる10の方法
◎1600円

家庭や地域における発達障害のある子のポジティブ行動支援PTR-F
子どもの問題行動を改善する家族支援ガイド
グレン・ダンラップほか著 神山努、庭山和貴監訳
◎2800円

教室で困っている発達障害をもつ子どもの理解と認知的アプローチ
非行少年の支援から学ぶ学校支援
宮口幸治著
◎1800円

性の問題行動をもつ子どものためのワークブック
発達障害・知的障害のある児童・青年の理解と支援
宮口幸治、川上ちひろ著
◎2000円

NGから学ぶ 本気の伝え方
あなたも子どものやる気を引き出せる！
宮口幸治、田中繁富著
◎1400円

ヴィゴツキー理論でのばす障害のある子どものソーシャルスキル
日常生活と遊びがつくる「発達の社会的な場」
アーラ・ザクレーピナ著 広瀬信雄訳
◎2400円

心理教育教材「キックスタート、トラウマを理解する」活用ガイド
問題行動のある知的・発達障害児者を支援する
本多隆司、伊庭千惠著
◎2000円

学びの土台を作るためのワークブック
学校では教えてくれない 困っている子どもを支える認知機能強化トレーニング
自分でできるコグトレ①
宮口幸治編著 近藤礼菜著
◎1800円

感情をうまくコントロールするためのワークブック
学校では教えてくれない 困っている子どもを支える認知ソーシャルトレーニング
自分でできるコグトレ②
宮口幸治著 宮口circシナリオ制作
◎1800円

うまく問題を解決するためのワークブック
学校では教えてくれない 困っている子どもを支える認知ソーシャルトレーニング
自分でできるコグトレ③
宮口幸治編著 井阪幸恵著
◎1800円

対人マナーを身につけるためのワークブック
学校では教えてくれない 困っている子どもを支える認知ソーシャルトレーニング
自分でできるコグトレ⑤
宮口幸治編著 井阪幸恵著
◎1800円

ADHDの僕がグループホームを作ったら、モヤモヤに包まれた
障害者×支援＝福祉！？
山口政佳著 田中康雄ゲスト
◎1600円

発達障害者は〈擬態〉する
抑圧と生存戦略のカモフラージュ
横道誠著
◎1800円

診断・対応のためのADHD評価スケール
ADHD-RS〔DSM準拠〕チェックリスト、標準値とその臨床的解釈
ジョージ・J・デュポールほか著 市川宏伸、田中康雄監修 坂本律訳
◎3000円

児童期・青年期のADHD評価スケール
ADHD-RS-5〔DSM-5準拠〕チェックリスト、標準値とその臨床的解釈
ジョージ・J・デュポールほか著 市川宏伸、田中康雄、小野和哉監訳 坂本律訳
◎3200円

〈価格は本体価格です〉